NAPOLEON HILL

A CHAVE MESTRA PARA AS RIQUEZAS

CITADEL
Grupo Editorial

2023

Título original: *The Master-Key to Riches*

A chave mestra para as riquezas

1ª edição: Janeiro 2023

O conteúdo desta obra é de total responsabilidade do autor e não reflete necessariamente a opinião da editora.

Autor:
Napoleon Hill

Tradução:
Mayã Guimarães

Preparação de texto:
Lúcia Brito

Revisão:
3GB Consulting

Projeto gráfico:
Dharana Rivas

DADOS INTERNACIONAIS DE CATALOGAÇÃO NA PUBLICAÇÃO (CIP)

Hill, Napoleon.

A chave mestra para as riquezas / Napoleon Hill, Fundação Napoleon Hill ; tradução de Mayã Guimarães. -- Porto Alegre : CDG, 2023.

224 p.

ISBN: 978-65-5047-208-5
Título original: The Master-Key to Riches

1. Sucesso 2. Técnicas de autoajuda 3. Motivação I. Título II. Guimarães, Mayã

23-0458 CDD - 158.1

Angélica Ilacqua - Bibliotecária - CRB-8/7057

Produção editorial e distribuição:

CITADEL Grupo Editorial
contato@citadeleditora.com.br
www.citadeleditora.com.br

SUMÁRIO

NOTA SOBRE O AUTOR

Napoleon Hill nasceu em 1883, em um casebre de madeira de um cômodo nas montanhas Blue Ridge, na Virgínia. Na adolescência, trabalhou como repórter de jornal para financiar sua ida para a Faculdade de Direito da Universidade de Georgetown. Esse emprego o conduziu à obra de sua vida. Suas reportagens excepcionais chamaram a atenção de Robert L. Taylor, governador do Tennessee e proprietário da *Bob Taylor's Magazine*. Taylor contratou Hill, então com 25 anos, para escrever uma série de histórias de sucesso de homens famosos; o primeiro deles era Andrew Carnegie.

Hill causou impressão tão forte em Carnegie que este o contratou para um trabalho que se tornaria uma tarefa de vinte anos – entrevistar 504 dos homens mais bem-sucedidos da nação a fim de descobrir, por meio de suas experiências, uma fórmula de sucesso que funcionasse para pessoas comuns. Entre outras, Hill entrevistou personalidades famosas como Ford, Wrigley, Wanamaker, Eastman, Rockefeller, Edison, Woolworth, Darrow, Burbank, Morgan, Firestone e também três presidentes dos Estados Unidos.

Após exatos vinte anos compilando a obra, Napoleon Hill publicou a primeira interpretação da filosofia da realização individual em 1928; sustentou a família exercendo várias atividades, incluindo um período como gerente de propaganda da Universidade de Extensão La Salle de Chicago, e editando e publicando a revista *Golden Rule*. Durante a Primeira Guerra

Mundial, foi designado para a equipe do presidente Woodrow Wilson na função de especialista em relações públicas. Em 1933 Jennings Randolph, que mais tarde se tornou senador dos Estados Unidos pela Virgínia Ocidental, apresentou Hill ao presidente Roosevelt. Hill tornou-se novamente conselheiro presidencial. Anos depois, renunciou ao cargo para dedicar mais tempo a escrever e completar o resumo de seu projeto de vinte anos, *Think and Grow Rich*[1].

Em 1952, foi fundada a Napoleon Hill Associates, e Hill abandonou a aposentadoria parcial para disseminar sua ciência da filosofia do sucesso. Hill comandou a Fundação Napoleon Hill, uma instituição educacional sem fins lucrativos dedicada a ensinar a ciência da realização pessoal. Retomou sua agenda em tempo integral em 1963, formando a Academy of Personal Achievement, um curso domiciliar e/ou programa de estudos à distância iniciado quando ele tinha 80 anos.

1 Lançado no Brasil pela Citadel Editora na versão original, em inglês, e na versão atualizada, em português, com o título *Quem pensa enriquece – O legado*.

PREFÁCIO

"Entrego e delego ao povo americano a maior parte de minha vasta fortuna, que consiste na filosofia da realização individual, pela qual todas as minhas riquezas foram acumuladas."

Assim começava o testamento de Andrew Carnegie. É o prólogo de uma história que bem pode assinalar o mais importante ponto de transformação na vida de todos que a leem.

A história começou no outono de 1908, quando Andrew Carnegie me chamou, me concedeu a grande honra de respeitar meu julgamento e minha integridade e confiou a mim o que dizia ser "a maior parte" de sua vasta fortuna, com o entendimento de que o legado deveria ser apresentado ao povo americano.

Esta história foi escrita para notificá-lo de seu direito de compartilhar desse imenso legado e informar as condições para que possa compartilhar dele. Essas condições não são de maneira nenhuma formidáveis ou limitadas a poucos. Estão ao alcance de qualquer adulto de inteligência mediana. Não há truques ou falsas esperanças, seja em relação às condições, seja nessa promessa.

Para que você saiba se a oferta é ou não tudo de que você necessita ou que deseja, vou dizer exatamente o que é prometido:

- Uma descrição clara da fórmula pela qual você pode ter o pleno benefício da chave mestra para a riqueza – uma chave que deve destrancar as portas para a solução de todos os seus problemas, que o ajudará a transformar os fracassos do passado em bens valiosos e o levará à conquista das doze grandes riquezas, incluindo a segurança econômica.

- Um inventário das riquezas deixadas por Andrew Carnegie para distribuição entre aqueles qualificados para recebê-las, junto com instruções detalhadas por meio das quais você pode obter e usar sua parte.
- Uma descrição dos meios pelos quais você pode ter o pleno benefício da educação, experiência e habilidades técnicas daqueles cuja cooperação pode ser necessária para a realização de seus objetivos principais na vida, proporcionando, portanto, um meio prático para superar as desvantagens de uma educação inadequada e conquistar os objetivos mais elevados com o mesmo sucesso daqueles favorecidos por uma educação formal.
- O privilégio de usar a filosofia do sucesso organizada a partir de experiências de vida, por tentativa e erro, de centenas de homens eminentes.
- Um plano definido pelo qual qualquer um que trabalhe por salário pode se promover a uma renda maior com plena cooperação e consentimento de seu empregador.
- Um plano definido pelo qual qualquer um que trabalhe para outros pode dar início a um negócio ou a uma carreira por si, com chances de sucesso acima da média.
- Um plano definido pelo qual qualquer empresário pode transformar clientes em fregueses permanentes e, com sua sólida cooperação, atrair novos consumidores que também se tornarão permanentes.
- Um plano definido pelo qual qualquer vendedor de mercadoria útil ou de serviços como seguro de vida pode transformar seus compradores em trabalhadores prestativos que o ajudarão a encontrar novos clientes.
- Um plano definido pelo qual qualquer empregador pode transformar seus empregados em amigos pessoais, sob circunstâncias que lhe permitirão tornar seu negócio mais lucrativo para si e para os empregados.

Você tem aqui uma declaração clara de nossas promessas, e a primeira condição para poder se beneficiar delas é ler este livro duas vezes, linha por linha, e pensar enquanto lê. Que fique claro desde o início que, quando falamos em riquezas, temos em mente todas as riquezas – não só aquelas representadas por saldos bancários e coisas materiais. Temos em mente a riqueza da liberdade, de que dispomos mais do que qualquer outra nação. Temos em mente a riqueza das relações humanas, pelas quais todo cidadão americano pode exercer plenamente o privilégio da iniciativa pessoal da maneira que escolher. Assim, quando falamos em riquezas, nos referimos à vida abundante disponível em todos os lugares para o povo dos Estados Unidos, acessível mediante um mínimo de esforço.

Enquanto isso, que fique claro que não ofereceremos sugestões a ninguém sobre a natureza das riquezas que deve buscar, nem sobre a quantidade que deve se dispor a conquistar. Felizmente, a vida americana oferece uma abundância de todas as formas de riquezas, suficientes em qualidade e quantidade para satisfazer todos os desejos humanos razoáveis. Esperamos sinceramente que todo leitor procure conquistar sua parte, não só das coisas que o dinheiro pode comprar, mas também das coisas que o dinheiro não pode.

Não pretendemos dizer a ninguém como viver a própria vida, mas sabemos, depois de ter observado os ricos e pobres da América, que riquezas materiais não são garantia de felicidade. Ainda não encontramos uma pessoa realmente feliz que não tenha se dedicado a alguma forma de serviço que beneficie outros. E conhecemos muitas que são ricas de bens materiais, mas não encontraram a felicidade.

Mencionamos essas observações não para fazer sermão, mas para incentivar aqueles que, em razão da grande abundância de riquezas materiais na América, as consideram garantidas e que perderam de vista as coisas da vida cujo valor é inestimável e só podem ser conquistadas por intermédio das riquezas intangíveis que mencionamos.

– Napoleon Hill

Capítulo 1

AS DOZE RIQUEZAS DA VIDA

Acredito que você tenha a urgência humana pelas melhores coisas da vida, um desejo comum a todas as pessoas. Você deseja segurança econômica, que só o dinheiro pode proporcionar. Pode desejar uma via de expressão para seus talentos a fim de ter a alegria de criar as próprias riquezas.

Alguns procuram o caminho fácil para as riquezas, esperando encontrá-las sem dar nada em troca. Esse também é um desejo comum. Mas é um desejo que espero modificar para o seu benefício, já que, por experiência, aprendi que é impossível ter alguma coisa em troca de nada.

Só há um jeito certo de alcançar riquezas, e ele pode ser encontrado por aqueles que têm a chave mestra das riquezas. Essa chave mestra é um instrumento maravilhoso que pode ser usado por quem a tem para destrancar portas das soluções para seus problemas.

A chave abre a porta para a boa saúde. Abre a porta para o amor e o romance. Abre a porta para a amizade, revelando as características de personalidade e caráter que resultam em amigos duradouros. Revela o método pelo qual toda adversidade, todo fracasso, todo desapontamento, todo erro de julgamento e toda derrota passada podem ser transmutados em riquezas de valor inestimável. Reacende as esperanças perdidas de todos que as têm e revela a fórmula pela qual se pode sintonizar no grande reservatório da Inteligência Infinita e recorrer a ele. Eleva gente humilde a posições de poder, fama e fortuna. Faz os ponteiros do relógio recuarem e renova o espírito de juventude naqueles que envelheceram cedo demais.

Essa chave proporciona o método pelo qual você pode se apoderar por completo da própria mente, conferindo assim um controle incontestável sobre as emoções e o poder do pensamento. Compensa as deficiências daqueles que têm educação formal inadequada, e os coloca no mesmo plano de oportunidades de que desfrutam aqueles que tiveram melhor escolaridade. Por fim abre portas, uma a uma, das doze grandes riquezas da vida que descreverei agora.

Ninguém pode ouvir o que não está preparado para ouvir. A preparação envolve muitas coisas, entre elas, sinceridade de propósito, humildade de coração, pleno reconhecimento da verdade de que ninguém sabe tudo. Falarei sobre fatos e descreverei muitos princípios; sobre alguns destes talvez você nunca tenha ouvido falar, porque são conhecidos apenas por aqueles que se prepararam para aceitar a chave mestra.

Suas duas identidades

Antes de descrever as doze grandes riquezas, vou revelar algumas que você já tem – riquezas das quais pode não ter conhecimento. Primeiro, quero que reconheça que tem uma personalidade plural, embora possa se ver como uma personalidade única. Você e todas as outras pessoas têm duas personalidades distintas, pelo menos, e muita gente tem mais que isso.

Tem aquela identidade que você reconhece quando olha para o espelho. Esse é seu eu físico. Mas ele é só a casa onde suas outras personalidades habitam. Nessa casa há, pelo menos, dois indivíduos em eterno conflito um com o outro.

Um é um tipo negativo que pensa, age e vive em um clima de dúvida, medo, pobreza e problemas de saúde. Esse eu negativo espera o fracasso e raramente se decepciona. Ele lida com circunstâncias lamentáveis da vida, coisas que você quer rejeitar, mas parece forçado a aceitar, como pobreza, avareza, superstição, medo, dúvida, preocupação e doença física.

Seu "outro eu" é um tipo positivo que pensa em termos dinâmicos e afirmativos de riqueza, boa saúde, amor e amizade, realização pessoal, visão criativa, servir aos outros, e que o orienta de maneira infalível para a conquista dessas bênçãos. Só esse eu é capaz de reconhecer e se apropriar das doze grandes riquezas. É o único eu que é capaz de receber a chave mestra das riquezas.

Você tem muitos outros bens valiosos dos quais pode não ter consciência, riquezas ocultas que não reconheceu nem usou. Entre elas está o que podemos chamar de "centro de vibração", uma espécie de aparelho de rádio que transmite e recebe ondas de requintada sensibilidade, sintonizado com seus semelhantes e o universo à sua volta. Essa poderosa unidade projeta seus pensamentos e sentimentos e recebe torrentes intermináveis de mensagens de grande importância para seu sucesso na vida. É um incansável sistema de comunicação de mão dupla de capacidade infinita.

Sua estação de rádio opera de forma contínua e automática, tanto quando você dorme como quando está acordado. Durante todo o tempo, é controlada por uma ou outra de suas duas principais personalidades – a negativa ou a positiva.

Quando sua personalidade negativa está no controle, seus receptores sensíveis registram somente mensagens negativas de incontáveis personalidades negativas. Naturalmente, isso leva a pensamentos do tipo "de que adianta?" e "não tenho nenhuma chance", talvez não formulados só com essas palavras, mas desanimadores, se não mortais, para a fé em si mesmo e para o uso de suas energias para alcançar aquilo que quer. Mensagens negativas recebidas quando sua personalidade negativa está no controle da estação receptora, se aceitas e usadas como guias, levam invariavelmente a circunstâncias de vida que são o oposto das que você escolheria.

Porém, quando sua personalidade positiva está no controle, ela direciona para o seu centro de ação apenas aquelas mensagens estimulantes, otimistas e altamente energéticas do tipo "eu consigo", que você pode traduzir em equivalentes físicos de prosperidade, boa saúde, amor, esperança, fé, paz mental e felicidade – os valores da vida que você e todas as outras pessoas normais buscam.

O MAIOR PRESENTE

Quero lhe dar a chave mestra com a qual você pode obter essas e muitas outras riquezas. Entre outras coisas, a chave coloca a estação de rádio de cada indivíduo sob o controle da outra identidade, sua personalidade positiva.

Vou revelar os meios pelos quais você pode compartilhar das bênçãos da chave mestra, mas a responsabilidade de compartilhar tem que ser sua. Todo observador atento deve ter percebido que todo sucesso individual duradouro começa por meio da influência benéfica de algum outro indivíduo, por meio de alguma forma de compartilhamento.

Quero dividir com você o conhecimento por intermédio do qual pode obter riquezas – todas as riquezas – pela expressão de sua iniciativa pessoal. Esse é o maior de todos os presentes. E é o único tipo de presente que alguém que foi abençoado com as vantagens de uma grande nação como a nossa deve esperar. Porque aqui temos todas as formas de possíveis riquezas disponíveis para a humanidade. E as temos em grande abundância.

Presumo que você também queira ficar rico. Procurei o caminho para as riquezas do jeito mais difícil, antes de aprender que existe um caminho curto e confiável que eu poderia ter seguido se tivesse sido orientado como espero orientar você.

Primeiro, estejamos preparados para reconhecer as riquezas quando elas estiverem ao nosso alcance. Alguns acreditam que as riquezas consistem só em dinheiro. Mas riquezas duradouras, no sentido mais amplo, são formadas por muitos outros valores, além das coisas materiais; devo acrescentar que, sem esses outros valores intangíveis, ter dinheiro não traria a felicidade que alguns acreditam que ele traz.

Quando falo de riquezas, tenho em mente as maiores riquezas que seus detentores fizeram a vida conceder nos termos deles – os termos da plena e completa felicidade. Eu as chamo de as doze grandes riquezas da vida. E desejo sinceramente dividi-las com todos que estejam preparados para recebê-las.

1. Atitude mental positiva

Todas as riquezas de qualquer natureza começam como um estado mental; vamos lembrar que o estado mental é a única coisa sobre a qual qualquer pessoa tem completo e indiscutível direito de controle. É altamente significativo que o Criador tenha dado aos humanos o controle somente sobre o poder de criar os próprios pensamentos e o privilégio de adequá-los a qualquer padrão de sua escolha.

Atitude mental é importante porque transforma o cérebro no equivalente de um ímã que atrai a contraparte dos pensamentos, objetivos e propósitos dominantes do indivíduo. Também atrai a contraparte de seus medos, preocupações e dúvidas.

Atitude mental positiva (AMP) é o ponto de partida para todas as riquezas, sejam elas de natureza material, sejam intangíveis. AMP atrai a riqueza da amizade verdadeira e as riquezas que se encontram na esperança de realização futura.

AMP proporciona as riquezas que se pode encontrar nas obras da natureza, como nas noites de luar, nas estrelas a flutuar no céu, nas belas paisagens e em horizontes distantes. As riquezas encontradas no trabalho que se escolhe, pelo qual se pode dar expressão ao plano mais elevado da alma humana. As riquezas da harmonia nos relacionamentos domésticos, em que todos os membros da família trabalham juntos em espírito de cooperação amigável.

AMP proporciona as riquezas da boa saúde física, o tesouro daqueles que aprenderam a equilibrar trabalho e lazer, fé religiosa e amor, que descobriram a sabedoria de comer para viver em vez de viver para comer. As riquezas de se livrar do medo. As riquezas do entusiasmo, tanto ativo quanto passivo. As riquezas da música e do riso, ambos indicativos de estados mentais. As riquezas da autodisciplina, pela qual se pode ter a alegria de saber que a mente pode servir e serve a qualquer fim desejado, desde que o indivíduo se apodere dela e a comande por meio da definição de objetivo; as riquezas da diversão, pela qual se pode deixar de lado todos os fardos da vida e voltar a ser criança.

AMP proporciona as riquezas de descobrir seu "outro eu", aquele que sabe que não existe a realidade do fracasso permanente. As riquezas da fé na Inteligência Infinita, da qual a mente de todo indivíduo é uma pequena projeção. As riquezas da meditação, o elo com o qual qualquer um pode se ligar ao grande suprimento universal de Inteligência Infinita e recorrer a ela quando quiser.

Sim, essas e todas as outras riquezas começam com uma atitude mental positiva. Portanto, não é motivo de surpresa que uma atitude mental positiva ocupe o primeiro lugar na lista das doze riquezas.

2. *Boa saúde física*

Boa saúde começa com uma "consciência de saúde" produzida pela mente que pensa em termos de saúde, não em termos de doença, além de temperança nos hábitos alimentares e atividades físicas adequadamente equilibradas.

3. *Harmonia nas relações humanas*

A harmonia com os outros começa pelo indivíduo, porque é verdade, como disse Shakespeare, que há benefícios disponíveis para aqueles que acatam seu conselho: "Sê verdadeiro para ti mesmo e seguir-se-á, como o dia segue a noite, não poderes tu ser falso com ninguém".

4. *Liberdade do medo*

Nenhum indivíduo que teme alguma coisa é livre. Medo é um prenúncio do mal, e, onde quer que apareça, é possível descobrir uma causa que deve ser eliminada antes que o indivíduo possa se tornar rico no sentido mais pleno. Os sete medos básicos que aparecem com mais frequência na mente humana são:

- O medo da pobreza;
- O medo da crítica;
- O medo da doença;
- O medo da perda do amor;
- O medo da perda da liberdade;
- O medo da velhice;
- O medo da morte.

5. *Esperança de realização*

A maior de todas as formas de felicidade resulta da esperança de realizar algum desejo ainda não alcançado. Pobre além da possibilidade de descrição é a pessoa que não consegue olhar para o futuro com esperança de se tornar quem gostaria de ser, nem com a crença de que vai realizar o objetivo que não conseguiu alcançar no passado.

6. Capacidade de ter fé

Fé é o elo entre a mente consciente e o grande reservatório universal da Inteligência Infinita. É o solo fértil do jardim da mente humana, no qual podem ser produzidas todas as riquezas da vida. É o "elixir eterno" que dá poder criativo e de ação aos impulsos do pensamento.

Fé é a base de todos os chamados milagres e de muitos mistérios que não podem ser explicados pela lógica ou ciência; é a química espiritual que, quando misturada à oração, dá ao indivíduo ligação direta e imediata com a Inteligência Infinita; é o poder que transmuta as energias comuns do pensamento em seu equivalente espiritual; é o único poder pelo qual o indivíduo pode se apropriar da força cósmica da Inteligência Infinita para seu uso.

7. Disponibilidade para compartilhar bênçãos

Aquele que não aprendeu a abençoada arte de compartilhar não aprendeu o verdadeiro caminho da felicidade, porque a felicidade só resulta do compartilhamento. Seja sempre lembrado de que todas as riquezas podem ser ornadas e multiplicadas pelo simples processo de dividi-las para que sirvam a outros. Seja sempre lembrado de que o espaço que alguém ocupa no coração de seus semelhantes é determinado justamente pelo serviço que presta por meio de alguma forma de compartilhamento de suas bênçãos.

Riquezas que não são compartilhadas, sejam materiais, sejam intangíveis, murcham e morrem como a rosa cortada da roseira, porque uma das primeiras leis da natureza é que inatividade e desuso levam a degradação e morte, e essa lei se aplica aos bens materiais da mesma forma que às células vivas de qualquer organismo.

8. *Trabalho de amor*

Não pode haver alguém mais rico que aquele que encontrou um trabalho de amor e que está ocupado e envolvido com sua execução, porque o trabalho é a mais elevada forma de expressão humana do desejo. Trabalho é a ligação entre a demanda e o atendimento de todas as necessidades humanas, o predecessor de todo progresso humano, o meio pelo qual a imaginação adquire as asas da ação. E todo trabalho de amor é santificado, porque traz a alegria da autoexpressão àquele que o desempenha.

9. *Mente aberta em todos os assuntos*

Tolerância, que está entre os atributos mais elevados da cultura, só é expressada pela pessoa que mantém a mente sempre aberta em todos os assuntos. Só aquele com uma mente aberta se torna realmente educado e, portanto, fica preparado para dispor das maiores riquezas da vida.

10. *Autodisciplina*

Quem não é senhor de si talvez nunca se torne senhor de nada. Aquele que é senhor de si pode se tornar senhor de sua sorte terrena, "senhor de seu destino, capitão de sua alma". A forma mais elevada de autodisciplina consiste na expressão de humildade do coração quando o indivíduo conquistou grandes riquezas ou foi agraciado por aquilo que normalmente é chamado de "sucesso".

11. *Capacidade de entender as pessoas*

Quem é rico na compreensão das pessoas sempre reconhece que todos são fundamentalmente semelhantes, uma vez que evoluíram do mesmo tronco; que todas as atividades humanas são inspiradas por um ou mais dos nove motivos básicos da vida, a saber:

- A emoção do amor;
- A emoção do sexo;
- O desejo de ganho material;
- O desejo de autopreservação;
- O desejo de liberdade de corpo e mente;
- O desejo de autoexpressão;
- O desejo de perpetuação da vida depois da morte;
- A emoção da raiva;
- A emoção do medo.

Para entender os outros, a pessoa deve antes entender a si mesma. A capacidade de entender os outros elimina muitas causas comuns de atrito. É a base de toda amizade, de toda harmonia e cooperação. É o fundamento de maior importância em toda liderança que requer cooperação amigável. Alguns acreditam que seja uma abordagem da maior importância para a compreensão do Criador de todas as coisas.

12. Segurança econômica

O último tópico, mas não o menos importante, trata da porção tangível das doze riquezas. Segurança econômica não é conquistada só pela posse de dinheiro. É conquistada pelo serviço que se presta, pelo serviço útil que pode ser convertido em todas as formas de necessidades humanas, com ou sem uso de dinheiro.

Um homem de negócios milionário tem segurança econômica não porque controla uma vasta fortuna em dinheiro, mas por oferecer emprego remunerado a homens e mulheres e, por intermédio destes, bens ou serviços de grande valor a muita gente. O serviço que ele presta atrai o dinheiro que ele controla, e é desse jeito que toda segurança econômica duradoura deve ser obtida.

Agora vou apresentar os princípios pelos quais dinheiro e outras formas de riqueza podem ser alcançados, mas antes você deve estar preparado para aplicar esses princípios. Sua mente precisa estar condicionada para a aceitação de riquezas, da mesma forma que o solo deve ser preparado para o plantio das sementes.

Quando se está preparado para alguma coisa, ela certamente aparece. Isso não significa que as coisas de que se pode precisar vão aparecer sem uma causa, porque existe uma grande diferença entre as necessidades do indivíduo e sua prontidão para receber essas coisas. Deixar de dar atenção a essa distinção é perder de vista os benefícios mais importantes que quero transmitir.

Então, seja paciente e me permita guiá-lo à prontidão para receber as riquezas que você deseja. Terei de guiar do meu jeito. Meu jeito de início vai parecer estranho, mas você não deve desanimar por causa disso, porque todas as ideias novas parecem estranhas. Se duvida da viabilidade do meu jeito, busque coragem no fato de ele ter me trazido riquezas em abundância. O progresso humano sempre foi lento porque as pessoas relutam em aceitar ideias novas.

Quando Samuel Morse anunciou seu sistema de comunicação por telégrafo, o mundo desdenhou dele. Seu sistema era pouco ortodoxo. Era novo, portanto, provocava desconfiança e dúvida. O mundo desdenhou de Marconi quando ele anunciou o aprimoramento do sistema de Morse: um sistema de comunicação sem fios. Thomas A. Edison foi ridicularizado quando anunciou o aperfeiçoamento da lâmpada elétrica incandescente; o primeiro fabricante de automóveis passou pela mesma experiência quando ofereceu ao mundo um veículo automotor para substituir o cavalo e a carroça. Quando Wilbur e Orville Wright anunciaram uma máquina voadora, o mundo ficou tão pouco impressionado que jornalistas se recusaram a testemunhar a demonstração da máquina.

Veio a descoberta do rádio moderno, um dos milagres da engenhosidade humana, destinado a aproximar o mundo todo. As mentes despreparadas aceitaram a invenção como um brinquedo para crianças, mas nada além disso.

Menciono esses fatos para lembrar àqueles que buscam riquezas de um jeito novo que não se deve desanimar devido ao ineditismo do caminho. Percorra-o comigo, aproprie-se da minha filosofia e tenha certeza de que vai funcionar para você como funcionou para mim.

Sendo seu guia para as riquezas, receberei a compensação por meu esforço na exata proporção dos benefícios que você receber. A eterna lei da compensação garante que seja assim. Minha compensação pode não vir diretamente daquele que se apropria de minha filosofia, mas virá de uma forma ou de outra, porque é parte do grande plano cósmico que nenhum serviço útil seja prestado por alguém sem a justa compensação. "Faça", disse Emerson, "e terá o poder."

Além da consideração sobre o que vou receber pelo esforço de prestar esse serviço a você, existe a questão da obrigação que devo ao mundo em troca das bênçãos que me foram concedidas. Não conquistei minhas riquezas sem a ajuda de muitas outras pessoas. Tenho observado que todos que adquirem riquezas duradouras subiram a escada da opulência com as duas mãos estendidas: uma para receber a ajuda dos que já estavam no topo, a outra para ajudar os que subiam.

Você que está no caminho para as riquezas, deixe-me alertá-lo de que também deve seguir com as mãos estendidas para dar e receber ajuda, porque é fato bem conhecido que ninguém pode alcançar sucesso duradouro ou adquirir riquezas duradouras sem ajudar outros que estão em busca desses fins desejáveis. Para receber é preciso dar. Trouxe essa mensagem para poder dar.

Agora que sabemos quais são as verdadeiras riquezas da vida, vou revelar o próximo passo a ser dado no processo de condicionar a mente para receber riquezas.

Reconheci que minhas riquezas chegaram pela ajuda de outras pessoas. Algumas eram personalidades muito conhecidas de todos que vão ouvir minha história; homens que atuaram como líderes, preparando o caminho para nós sob aquilo que chamamos de "estilo de vida americano". Outros são estranhos cujos nomes você não vai reconhecer. Entre estes estão oito amigos que fizeram muito por mim, preparando minha mente para a aceitação das riquezas. Eu os chamo de os oito príncipes. Eles me servem quando estou acordado e quando estou dormindo.

Embora nunca tenha encontrado os príncipes em pessoa, como encontrei os outros que me ajudaram, eles guardaram minhas riquezas, protegeram-me do medo, da inveja, da ganância, da dúvida, da indecisão e da procrastinação, me inspiraram a seguir em frente com base na iniciativa pessoal, mantiveram minha imaginação ativa e me deram definição de objetivo e fé para garantir sua realização. Foram os verdadeiros condicionadores da minha mente, os construtores da minha atitude mental positiva.

Posso agora recomendá-los a você para que prestem serviço semelhante?

Capítulo 2

OS OITO PRÍNCIPES

Você pode chamar os príncipes por outro nome, se quiser. Mentores, talvez. Ou princípios. Ou conselheiros. Ou guardiães do bom espírito. Seja qual for o nome, os príncipes me servem por meio de uma técnica simples e ajustável.

Toda noite, como a última atividade do dia, os príncipes e eu fazemos uma mesa-redonda. O principal objetivo é permitir que eu me expresse e assim reforce minha gratidão pelo serviço que me prestaram durante o dia. A reunião acontece como se os príncipes existissem em carne e osso. É um momento para meditação, revisão e gratidão, com o contato feito pelo poder do pensamento.

Aqui você pode ter o primeiro teste de sua capacidade de condicionar a mente para a aceitação de riquezas. Quando o choque acontecer, lembre-se do que aconteceu quando Morse, Marconi, Edison e os irmãos Wright anunciaram o aperfeiçoamento de novos e melhores meios de prestar serviço. Isso o ajudará a se manter ereto sob o impacto.

Agora vamos entrar em sessão com os príncipes:

Gratidão!

O dia de hoje foi lindo. Proporcionou-me saúde de corpo e mente. Concedeu-me alimento e roupas. Trouxe-me mais um dia de oportunidade de ser útil a outras pessoas. Concedeu-me paz mental e liberdade de todo medo.

Por essas bênçãos, sou grato a vocês, meus príncipes da orientação. Sou grato a todos vocês por terem deslindado o fio emaranhado do meu passado, assim libertando minha mente, meu corpo e minha alma de todas as causas e efeitos de medo e conflito.

Príncipe da prosperidade material, sou grato por ter mantido minha mente sintonizada na consciência da opulência e da fartura, livre do medo da pobreza e da necessidade.

Príncipe da boa saúde física, sou grato por ter sintonizado minha mente na consciência da boa saúde, fornecendo assim os meios pelos quais todas as células do meu corpo e todo órgão físico é adequadamente suprido de energia cósmica suficiente para suas necessidades, e por ter proporcionado contato direto com a Inteligência Infinita suficiente para a distribuição e aplicação dessa energia onde é necessária.

Príncipe da paz mental, sou grato por ter mantido minha mente livre de todas as inibições e limitações autoimpostas, dando assim a meu corpo e minha mente completo repouso.

Príncipe da esperança, sou grato pela realização dos desejos de hoje e pela promessa de realização das metas de amanhã.

Príncipe da fé, sou grato pela orientação que me deu, por ter me inspirado a fazer o que era útil para mim e dissuadido de fazer o que teria sido prejudicial a mim. Você deu força aos meus pensamentos, ímpeto aos meus atos, sabedoria que me permitiu entender as leis da natureza e discernimento que me permitiu adaptar-me a elas em espírito de harmonia.

Príncipe do amor, sou grato por ter me inspirado a compartilhar minhas riquezas com todos aqueles com quem entrei em contato hoje, por ter me mostrado que só aquilo que dou posso conservar como meu. Sou grato também pela consciência de amor com a qual você me dotou, porque ela fez minha vida doce e todos os meus relacionamentos agradáveis.

Príncipe do romance, sou grato por ter me inspirado com o espírito da juventude, apesar da passagem dos anos.

Príncipe da sabedoria geral, minha eterna gratidão por ter transmutado em bem durável de valor inestimável todos os meus fracassos, derrotas, erros de julgamento e ação, todos os medos, enganos, desapontamentos e adversidades de qualquer natureza; o bem consiste em minha disponibilidade e capacidade para inspirar outras pessoas a se apoderarem da própria mente e usar sua força mental para a aquisição das riquezas da vida, assegurando para mim, dessa maneira, o privilégio de compartilhar todas as minhas bênçãos com aqueles que estão preparados para recebê-las, enriquecendo e multiplicado assim minhas bênçãos na extensão em que beneficiam os outros.

Minha gratidão também por revelar a verdade de que nenhuma experiência humana precisa se tornar uma dependência, que todas as experiências humanas podem ser transmutadas em serviço útil, que o poder de pensamento é o único sobre o qual tenho controle completo, que o poder do pensamento pode ser traduzido em felicidade à vontade, que não há limitações para o meu poder de pensamento, exceto aquelas que criei em minha mente.

Meu maior bem é a sorte de ter reconhecido a existência dos oito príncipes, porque são eles que condicionam minha mente para receber os benefícios das doze riquezas. É o hábito da comunicação diária com os príncipes que me assegura a durabilidade dessas riquezas, sejam quais forem as circunstâncias da vida.

Os príncipes servem como um meio pelo qual mantenho a mente fixada nas coisas que desejo e longe daquelas que não quero. Servem como um fetiche confiável, um rosário de poder por meio do qual posso recorrer à vontade aos poderes do pensamento, com "cada hora uma conta, cada conta uma bênção".

Eles me dão imunidade contínua contra todas as formas de atitude mental negativa; assim, destroem tanto a semente do pensamento negativo quanto a germinação dessa semente no solo de minha mente. Ajudam-me a manter a mente fixada em meu objetivo principal na vida e a dar a mais plena expressão à realização desse desejo. Mantêm-me sintonizado comigo mesmo, com o mundo e em harmonia com minha consciência.

Ajudam-me fechando as portas da minha mente a todos os pensamentos desagradáveis de fracassos e derrotas do passado. Não, ajudam-me a converter todas as minhas dificuldades do passado em bens de valor inestimável.

Os príncipes revelaram a mim a existência daquele "outro eu" que pensa, se move, planeja, deseja e age pelo ímpeto de um poder que não reconhece a realidade do impossível. Eles provaram incontáveis vezes que cada adversidade carrega em si a semente de um benefício equivalente. Então, quando a adversidade me alcança, como alcança todo mundo, não fico paralisado, mas começo imediatamente a procurar a semente de um benefício equivalente e germiná-la em uma flor desabrochada de oportunidade.

Os príncipes me deram domínio sobre meu adversário mais formidável: eu mesmo. Mostraram-me o que é bom para meu corpo e minha alma e me levaram inevitavelmente à fonte e ao suprimento de todo bem. Ensinaram-me a verdade de que a felicidade consiste não na posse de coisas, mas no privilégio da autoexpressão pelo uso de coisas materiais. Ensinaram-me que é mais abençoado prestar serviço útil do que aceitar serviço de outras pessoas.

Observe que não peço nada aos príncipes, mas dedico toda a cerimônia à expressão da gratidão pelas riquezas que já me deram. Os príncipes conhecem minhas necessidades e as suprem. Sim, suprem todas as minhas necessidades em superabundância.

Os príncipes me ensinaram a pensar em termos do que posso dar e esquecer aquilo que desejo ter em troca. Portanto, me ensinaram a abordagem apropriada ao estilo de vida impessoal, que revela ao indivíduo os poderes que vêm de dentro e aos quais se pode recorrer à vontade para solucionar todos os problemas pessoais e obter todas as coisas necessárias. Ensinaram-me a ficar quieto e ouvir o que vem de dentro. Deram-me a fé que me capacita a rejeitar minha razão e aceitar a orientação interior, com plena confiança de que a vozinha branda que fala dentro de mim é superior a meus poderes racionais.

Meu credo de vida foi inspirado pelos príncipes. Vou dividi-lo com você, para que possa adotá-lo como seu credo.

O credo de um homem feliz

Encontrei felicidade ajudando outras pessoas a encontrá-la.

Tenho boa saúde física porque vivo com moderação em todas as coisas, e como apenas os alimentos que a natureza requer para a manutenção do corpo.

Sou livre do medo em todas as suas formas.

Não tenho ódio ou inveja de ninguém, mas tenho amor por toda a humanidade.

Dedico-me a um trabalho de amor com o qual misturo diversão generosamente. Portanto, nunca me canso.

Dou graças todos os dias, não por mais riquezas, mas pela sabedoria para reconhecer, aceitar e usar corretamente a grande abundância de riquezas que agora tenho ao meu dispor.

Não falo nenhum nome, exceto para honrá-lo.

Não peço favores a ninguém, exceto o privilégio de dividir minhas riquezas com todos que as receberão.

Estou de bem com minha consciência. Portanto, ela me guia corretamente em tudo que faço.

Não tenho inimigos porque não prejudico ninguém por motivo algum, mas beneficio a todos com quem entro em contato, ensinando-lhes o caminho para riquezas duradouras.

Tenho mais riqueza material de que preciso porque sou livre de ganância e cobiço apenas as coisas materiais que posso usar enquanto estou vivo.

Tenho uma grande propriedade que não é sujeita a impostos, porque existe principalmente na minha cabeça em riquezas intangíveis que não podem ser avaliadas ou adquiridas, exceto por aqueles que adotam meu estilo de vida. Criei essa vasta propriedade observando as leis da natureza e adaptando meus hábitos para estarem em conformidade com elas.

Funcionamento da chave mestra

Agora vamos continuar nossa história com uma descrição da filosofia que se deve adotar a fim de adquirir as doze riquezas. Descrevi um método de preparação da mente para receber as riquezas, mas isso é só o começo da história. Ainda preciso explicar como se pode tomar posse das riquezas e fazer pleno uso delas.

A história remonta a mais de meio século e começa com Andrew Carnegie, um grande filantropo e um produto típico do sistema americano. Carnegie adquiriu as doze riquezas, e a porção financeira era tão vasta que ele não viveu o suficiente para conseguir distribuí-la, por isso deixou grande parte para homens que ainda se dedicam a usá-la em benefício da humanidade.

Carnegie também foi agraciado pelos serviços dos oito príncipes. O príncipe da sabedoria geral o serviu tão bem que ele foi inspirado não só a doar todas as suas riquezas materiais, mas também a conceder às pessoas uma filosofia de vida completa com a qual também pudessem adquirir as riquezas. Essa filosofia consiste em dezessete princípios que estão de acordo em todos os aspectos com o padrão da Constituição dos Estados Unidos e o sistema americano da livre-iniciativa.

Carnegie explicou assim o motivo para propor a organização de uma filosofia da realização individual:

> Ganhei meu dinheiro por intermédio do esforço de outros e devo devolvê-lo às pessoas tão logo consiga encontrar meios para isso sem inspirar o desejo de se obter algo em troca de nada. A maior porção de minhas riquezas consiste no conhecimento com o qual adquiri bens tanto tangíveis quanto intangíveis. Portanto, é meu desejo que esse conhecimento seja organizado em uma filosofia e disponibilizado a todos que buscam uma oportunidade de autodeterminação sob o sistema da economia americana.

O que desejo compartilhar com você é a filosofia que deve adotar e aplicar se espera aceitar as riquezas.

Antes de descrever os princípios desta filosofia, quero contar uma breve história sobre o que ela já fez por outras pessoas em mais da metade do mundo. A filosofia foi traduzida em quatro dos principais dialetos indianos e disponibilizada para mais de dois milhões de pessoas na Índia. Foi traduzida para o português em benefício do povo do Brasil, onde atendeu a mais de um milhão e meio de pessoas. Foi publicada em uma edição especial para distribuição por todo o império britânico, onde serviu a mais de dois milhões de pessoas. Beneficiou uma ou mais pessoas em praticamente todas as cidades, em todos os vilarejos e povoados dos Estados Unidos, chegando a um total estimado em vinte milhões de pessoas.

Esta filosofia bem pode se tornar o meio para favorecer o espírito de cooperação amigável entre todas as pessoas do mundo, já que não se baseia em nenhum credo ou marca, mas consiste nos fundamentos de todo sucesso duradouro e de todas as realizações humanas construtivas em todos os campos de empreendimento. Ela apoia todas as religiões, mas não faz parte de nenhuma. É tão universal em sua natureza que inevitavelmente conduz ao sucesso em todas as ocupações. Mas mais importante do que todas essas evidências é o fato de que a filosofia é tão simples que você pode começar exatamente onde está para fazê-la trabalhar a seu favor.

Chegamos agora à descrição dos segredos da chave mestra de todas as riquezas. Os dezessete princípios servirão como um mapa confiável para a fonte de todas as riquezas, sejam elas intangíveis, sejam materiais. Siga o mapa e não vai se perder, mas esteja pronto para cumprir todas as instruções e assumir todas as responsabilidades que acompanham a posse de grandes riquezas. Acima de tudo, lembre-se de que riquezas duradouras devem ser compartilhadas e que há um preço que se deve pagar por tudo que se adquire.

A chave mestra não será revelada por nenhum dos dezessete princípios, porque seu segredo está na combinação de todos eles. Os princípios representam dezessete portas pelas quais se tem que passar para chegar à câmara interna onde está trancada a origem de todas as riquezas. A chave mestra que vai destrancar a porta para essa câmara estará em suas mãos quando você estiver preparado para aceitá-la. Sua preparação será a assimilação e a aplicação dos primeiros cinco dos dezessete princípios que agora descreverei em detalhes.

Capítulo 3

DEFINIÇÃO DE OBJETIVO

É fundamental reconhecer que todos os grandes líderes, em todas as áreas da vida e durante todos os períodos da história, alcançaram a liderança pela aplicação de suas habilidades em um objetivo principal definido. Não menos importante é observar que aqueles classificados como fracassos não têm tal objetivo, mas ficam dando voltas, como um navio sem quilha, voltando sempre de mãos vazias ao ponto de partida.

Alguns desses "fracassos" começam com um objetivo principal definido, mas o abandonam no momento em que são surpreendidos por uma derrota temporária ou oposição ferrenha. Desistem sem saber que existe uma filosofia de sucesso tão confiável e precisa quanto as regras da matemática e sem nunca suspeitar de que a derrota temporária não é senão uma área de teste que pode se revelar uma bênção disfarçada se não for aceita como definitiva.

Uma das grandes tragédias da civilização é que 98% das pessoas passam pela vida sem enxergar nada que sequer se aproxime de definição de um objetivo principal.

O primeiro teste que Andrew Carnegie aplicava a todos os funcionários considerados para promoção a cargo de supervisão era determinar em que medida estavam dispostos a fazer um esforço extra. O segundo teste era determinar se tinham a mente focada em um objetivo definido, incluindo a preparação necessária para a realização do objetivo.

"Quando pedi minha primeira promoção a Carnegie", contou Charles M. Schwab, "ele abriu um largo sorriso e respondeu: 'Se você entrega seu coração àquilo que quer, não há nada que eu possa fazer para impedi-lo.'"

Schwab sabia o que queria: o maior emprego sob o comando de Carnegie. E Carnegie o ajudou a chegar lá.

Um fato curioso a respeito daqueles que atuam com definição de objetivo é a prontidão com que o mundo abre caminho para deixá-los passar e até os ajuda na realização das metas.

Nasce uma filosofia

A história por trás da organização desta filosofia tem conotações dramáticas e se relaciona à importância que Andrew Carnegie dava à definição de objetivo. Ele havia desenvolvido uma grande indústria siderúrgica e acumulado imensa fortuna em dinheiro quando voltou seu interesse ao uso e à disposição de sua riqueza. Tendo reconhecido que a melhor porção de sua riqueza era o conhecimento com o qual havia acumulado bens materiais e sua compreensão das relações humanas, seu principal objetivo na vida passou a ser inspirar alguém a organizar uma filosofia que transmitisse seu conhecimento a todos que pudessem desejá-lo. Já idoso, Carnegie reconheceu que a tarefa requisitava os serviços de um jovem que tivesse tempo e inclinação para passar vinte anos ou mais pesquisando as causas da realização individual.

Quando conheci Carnegie por mero acaso (fui entrevistá-lo para uma reportagem de revista sobre suas realizações), ele já entrevistara mais de 250 homens que suspeitava que pudessem ter essa capacidade. O magnata estava acostumado a investigar personalidades com um olhar aguçado e deve ter se perguntado se eu poderia ter as qualidades que ele procurava havia tanto tempo, pois criou um plano engenhoso para fazer um teste.

Carnegie começou contando a história de suas realizações. Depois passou a sugerir que o mundo precisava de uma filosofia prática de realização individual que permitisse ao mais humilde trabalhador acumular riquezas na quantidade e forma que desejasse. Aprofundou-se nessa ideia por três dias e noites, descrevendo como alguém poderia se dedicar à organização de tal filosofia. Quando a história terminou, estava pronto para aplicar o teste para determinar se havia ou não encontrado o homem com quem poderia contar para executar sua ideia.

"Você agora tem minha ideia de uma nova filosofia", disse ele, "e quero fazer uma pergunta para a qual a resposta deve ser um simples sim ou não. A pergunta é: se eu lhe der a oportunidade de organizar a primeira filosofia de realização individual do mundo e apresentá-lo a homens que podem e vão colaborar na tarefa de organização, você quer essa oportunidade e vai levá-la à conclusão, caso lhe seja dada?"

Pigarreei, gaguejei por alguns segundos, depois respondi com uma frase breve, mas decidida. "Sim!", exclamei. "Não só aceitarei a tarefa, como também a cumprirei até o fim."

Isso foi determinante. Era o que Carnegie estava procurando: definição de objetivo.

Anos depois, soube que Carnegie segurava um cronômetro quando fez a pergunta e que me daria exatos sessenta segundos para responder. Se a resposta demorasse mais, a oferta seria retirada. A resposta de fato demorou 29 segundos. O motivo para o prazo foi explicado por Carnegie:

> Por experiência, descobri que quem não consegue chegar a uma decisão prontamente quando de posse de todos os fatos necessários para decidir não é alguém com quem se possa contar que sustente qualquer decisão que porventura tome. Também descobri que aqueles

> que tomam decisões prontamente costumam ter a capacidade para agir com definição de objetivo em outras circunstâncias.

A primeira parte do teste foi cumprida com louvor, mas havia outra.

"Muito bem", disse Carnegie, "você tem uma das duas importantes qualidades necessárias àquele que organizará a filosofia que descrevi. Agora preciso saber se tem a segunda. Se eu lhe der a oportunidade de organizar a filosofia, está disposto a dedicar vinte anos do seu tempo, sem ser remunerado, a pesquisar as causas de sucesso e fracasso, sustentando-se por sua conta enquanto se dedica a isso?"

Essa pergunta foi um choque, porque eu naturalmente esperava ser subsidiado pela imensa fortuna de Carnegie. Todavia, me recuperei rapidamente e perguntei por que ele não se dispunha a pagar por um trabalho tão importante.

"Não é que não queira fornecer o dinheiro", respondeu Carnegie, "mas é meu desejo saber se você tem uma capacidade natural para se dispor a fazer um esforço extra prestando serviço antes de tentar receber um pagamento." Depois explicou que os indivíduos mais bem-sucedidos em todas as esferas da vida eram e sempre foram aqueles que tinham o hábito de prestar mais serviço do que aquele pelo qual foram pagos. Também chamou atenção para o fato de o subsídio em dinheiro, seja a indivíduos, seja a grupos de indivíduos, muitas vezes fazer mais mal do que bem.

Carnegie observou que eu estava diante de uma oportunidade que havia sido negada a mais de 250 homens, alguns deles bem mais velhos e mais experientes que eu, e terminou dizendo:

> Se tirar o máximo proveito da oportunidade que lhe ofereci, é possível que conquiste uma riqueza tão fabulosa que faça a minha parecer minúscula, em comparação, porque essa oportunidade dá a você os meios para penetrar as mentes mais sagazes da nação, lucrar a partir

> das experiências de nossos maiores líderes da indústria e bem pode capacitá-lo a projetar sua influência definitivamente no mundo civilizado, enriquecendo, portanto, aqueles que ainda nem nasceram.

A oportunidade foi agarrada. Eu havia recebido minha primeira aula sobre definição de objetivo e disposição para fazer um esforço extra. Vinte anos mais tarde, quase no mesmo dia, a filosofia que Carnegie havia identificado como a melhor porção de suas riquezas foi concluída e apresentada ao mundo em uma edição de oito volumes.

"E o homem que passou vinte anos sem pagamento?", perguntam alguns. "Que compensação recebeu por esse trabalho?" Seria impossível dar uma resposta completa para essa pergunta, porque ele mesmo não sabe qual o valor total dos benefícios que recebeu. Além disso, alguns desses benefícios são tão flexíveis que continuarão a ajudá-lo pelo resto de sua vida.

Contudo, para a satisfação daqueles que medem riquezas apenas em valores materiais, é possível afirmar que um livro, o resultado do conhecimento adquirido pela aplicação do princípio de fazer um esforço extra, já rendeu lucro estimado superior a US$ 3 milhões. O tempo real dedicado a escrever esse livro foi quatro meses.

Definição de objetivo e hábito de fazer um esforço extra compõem uma força que provoca a imaginação até da pessoa menos imaginativa, embora sejam apenas dois dos dezessete princípios da realização individual. Esses dois princípios só foram associados aqui por um propósito: indicar como os princípios desta filosofia se unem como elos de uma corrente e como essa combinação leva ao desenvolvimento de poder estupendo que não pode ser alcançado pela aplicação individual de nenhum deles.

O poder do objetivo definido

Vamos agora analisar o poder da definição de objetivo e os princípios psicológicos dos quais deriva o poder.

- Primeira premissa: O ponto de partida de toda realização é a adoção de um objetivo definido e um plano definido para sua realização.
- Segunda premissa: Toda realização é o resultado de um motivo ou de uma combinação de motivos, dos quais nove são motivos básicos que governam todas as ações voluntárias. (Os motivos foram previamente descritos no Capítulo 1.)
- Terceira premissa: Qualquer ideia, plano ou objetivo dominante gravado na mente pela repetição de pensamento e dotado de emoção por um desejo ardente de sua realização é assimilado pela mente subconsciente, posto em prática assim e levado ao seu clímax lógico por quaisquer meios naturais que possam estar disponíveis.
- Quarta premissa: Qualquer desejo, plano ou objetivo dominante mantido na mente consciente e respaldado por absoluta fé em sua realização é absorvido e posto em prática imediatamente pela mente subconsciente, e não se tem registro conhecido de um desejo desse tipo que não tenha sido realizado.
- Quinta premissa: O poder de pensamento é a única coisa sobre a qual qualquer pessoa tem controle completo e inquestionável, fato tão espantoso que denota um relacionamento próximo entre a mente humana e a mente universal da Inteligência Infinita, sendo a fé o elo entre ambas.
- Sexta premissa: A mente subconsciente é o portal para a Inteligência Infinita e responde às demandas do indivíduo na exata proporção da qualidade de sua fé. A mente subconsciente pode ser acessada pela

fé e receber instruções como se fosse uma pessoa ou uma entidade completa em si mesma.

- Sétima premissa: Um objetivo definido, respaldado por fé absoluta, é uma forma de sabedoria, e sabedoria em ação produz resultados positivos.

As principais vantagens da definição de objetivo

Definição de objetivo desenvolve autossuficiência, iniciativa pessoal, imaginação, entusiasmo, autodisciplina e concentração de esforço, todos esses pré-requisitos para a obtenção de sucesso material. Induz o indivíduo a programar seu tempo e planejar todas as atividades do dia a dia de forma que levem à realização de seu objetivo de vida principal. Torna o indivíduo mais alerta ao reconhecimento de oportunidades relacionadas ao objetivo principal e inspira a coragem necessária para aproveitar essas oportunidades quando elas aparecem.

Definição de objetivo inspira a cooperação de outras pessoas. Prepara o caminho para o pleno exercício do estado mental conhecido como fé, tornando a mente positiva e libertando-a das limitações do medo, da dúvida e da indecisão. Fornece ao indivíduo uma consciência de sucesso, sem a qual ninguém pode alcançar sucesso duradouro em nenhuma vocação. Suplanta o hábito destrutivo da procrastinação. Por fim, leva diretamente ao desenvolvimento e à manutenção contínua da primeira das doze riquezas, uma atitude mental positiva.

Essas são as principais características, mas há muitas outras qualidades e utilidades na definição de objetivo, que está diretamente relacionada a cada uma das doze riquezas porque estas só podem ser obtidas pela singularidade de objetivo. Compare o princípio da definição de objetivo com as doze riquezas, uma de cada vez, e observe como é essencial para a aquisição de cada uma. Depois liste personalidades de realizações proeminentes que este país produziu e observe como cada um deles enfatizou algum objetivo principal como meta de suas iniciativas.

Thomas A. Edison dedicou seus esforços inteiramente a invenções científicas. Andrew Carnegie se especializou na produção e venda de aço. F. W. Woolworth focou a atenção na operação das lojas de cinco e dez centavos. A especialidade de Philip D. Armour era embalar e distribuir carne. James J. Hill concentrou-se na construção e manutenção de um grande sistema ferroviário transcontinental. Alexander Graham Bell especializou-se em pesquisa científica relacionada ao desenvolvimento do telefone. Marshall Field administrou a maior loja varejista do mundo. Cyrus H. K. Curtis dedicou a vida ao desenvolvimento e à publicação da revista *Saturday Evening Post*. Jefferson, Washington, Lincoln, Patrick Henry e Thomas Paine dedicaram a maior parte da vida e de suas fortunas a uma luta prolongada pela liberdade de todo o povo. Homens com singularidade de propósito, todos e cada um deles.

A lista pode ser ampliada até conter o nome de cada grande líder que contribuiu para o estabelecimento do estilo de vida americano como o conhecemos e do qual nos beneficiamos hoje.

Como estabelecer um objetivo principal definido

O procedimento para se desenvolver um objetivo principal definido é simples, mas importante, consistindo no seguinte:

- Escreva uma declaração completa, clara e precisa de seu objetivo principal definido de vida, assine-a e a decore. Repita-a em voz alta pelo menos uma vez por dia todos os dias, mais vezes se possível.

Repita muitas e muitas vezes, respaldando seu objetivo com toda a sua fé na Inteligência Infinita.

- Escreva um plano claro e preciso por meio do qual pretenda começar a alcançar o objetivo principal definido. Nesse plano, estabeleça o tempo máximo permitido para a realização e descreva com precisão o que pretende dar em troca do objetivo, lembrando que não existe uma realidade na qual se possa ter alguma coisa em troca de nada, que tudo tem um preço que deve ser pago antecipadamente de uma forma ou outra.
- Elabore um plano flexível o suficiente para permitir mudanças sempre que se sentir inspirado a fazê-las. Lembre-se de que a Inteligência Infinita, que opera em todo átomo da matéria e em todo ser vivo ou coisa inanimada, pode apresentar um plano muito superior a qualquer um que você consiga criar. Portanto, esteja preparado para reconhecer e adotar a qualquer momento qualquer plano superior que possa ser apresentado à sua mente.
- Mantenha seu objetivo principal e os planos para realizá-lo estritamente para si, exceto no que se refere às instruções adicionais descritas a seguir no princípio do MasterMind.

Não cometa o engano de presumir que, talvez por não entender as instruções, os princípios aqui descritos não sejam sólidos. Siga as instruções ao pé da letra e de boa-fé; lembre-se de que assim estará reproduzindo o procedimento de muitos dos maiores líderes que esta nação já produziu.

As instruções não exigem qualquer esforço que você não possa fazer com facilidade. Não exigem tempo ou capacidade que a pessoa comum não possa ter. Estão em completa harmonia com a filosofia de todas as verdadeiras religiões.

Decida agora o que você quer da vida e o que tem para dar em troca. Decida para onde vai e como vai chegar lá. Depois comece onde você está agora. Comece com quaisquer meios que estejam disponíveis para a conquista de seu objetivo. Você vai descobrir que, à medida que fizer uso desses meios, outros e melhores se revelarão.

Tem sido assim com todos aqueles que o mundo reconhece como sucesso. Muitos tiveram um começo humilde, com pouco mais do que um desejo apaixonado de alcançar um objetivo definido para ajudá-los. Existe magia duradoura em um desejo desse tipo. Por fim, lembre:

> Move-se a mão que escreve, e tendo escrito
> Segue adiante; nem toda a tua piedade ou saber
> O atrairão de volta para que risque sequer meia linha;
> Nem todas as lágrimas removerão uma única palavra.

O ontem se foi para sempre. O amanhã jamais chegará, mas o hoje é o amanhã do ontem ao seu alcance. O que você está fazendo a respeito?

Agora vou revelar um princípio que é a pedra fundamental para o arco de todas as grandes realizações, princípio responsável por nosso maravilhoso estilo de vida americano, nosso sistema de livre-iniciativa, nossas riquezas e nossa liberdade. Mas antes vamos garantir que você sabe o que quer da vida.

Ideias que levam ao sucesso começam como objetivo definido

É fato conhecido que ideias são os únicos bens que não têm valores fixos. É igualmente sabido que ideias são o começo de todas as realizações.

Ideias formam a base de todas as fortunas, são o ponto de partida de todas as invenções. Dominaram o ar sobre nós e a água dos oceanos ao nosso redor, capacitaram-nos a controlar e usar as energias invisíveis do universo. Todas as ideias começam como resultado da definição de objetivo.

A fonografia era só uma ideia abstrata antes de Edison a organizar por meio da definição de objetivo e submetê-la à porção subconsciente do cérebro, onde foi projetada para o grande reservatório da Inteligência Infinita, de onde um plano exequível foi devolvido a ele. Edison traduziu o plano em uma máquina que funcionava.

Esta filosofia de realização individual começou como uma ideia na mente de Andrew Carnegie. Ele respaldou sua ideia com definição de objetivo, e agora a filosofia está disponível para benefício de milhões de pessoas no mundo civilizado. Além disso, tem uma chance acima da média de se tornar uma das grandes forças de propulsão do mundo, pois é usada por um número sempre crescente de pessoas como meio para guiá-las por um mundo de histeria frenética.

O grande continente norte-americano, conhecido como Novo Mundo, foi descoberto e civilizado como resultado de uma ideia nascida na mente de um humilde navegador e respaldada pela definição de objetivo. Chegou a hora em que essa ideia, nascida há mais de quatrocentos anos, pôde alçar nossa nação à posição de onde se tornará a mais esclarecida fronteira da civilização.

Qualquer ideia mantida em mente, enfatizada, temida ou reverenciada começa imediatamente a vestir-se na mais conveniente e apropriada forma física que estiver disponível. Aquilo em que os indivíduos acreditam, aquilo que discutem e temem, seja bom ou ruim, tem uma maneira muito definida de aparecer de uma ou outra forma. Que aqueles que lutam para se libertar das limitações de pobreza e miséria não se esqueçam dessa grande verdade, porque ela se aplica tanto a um indivíduo quanto ao povo de uma nação.

Autossugestão, o elo

Vamos agora voltar nossa atenção para o princípio funcional pelo qual pensamentos, ideias, planos, esperanças e objetivos colocados na mente consciente encontram o caminho para a mente subconsciente, onde são assimilados e levados à conclusão lógica por intermédio de uma lei da natureza que mais adiante descreverei. Reconhecer esse princípio e entendê-lo é reconhecer também a razão pela qual definição de objetivo é o começo de todas as realizações.

A transferência de pensamento da mente consciente para a subconsciente pode ser acelerada pelo simples processo de reforço ou estímulo das vibrações de pensamento por meio de fé, do medo ou de qualquer outra emoção altamente intensificada, como entusiasmo, um desejo ardente baseado em definição de objetivo.

Pensamentos respaldados pela fé têm precedência sobre todos os outros em relação à determinação e velocidade com que são transmitidos à mente subconsciente e colocados em prática. A velocidade com que o poder da fé funciona deu origem à crença de muitas pessoas de que certos fenômenos resultam de "milagres".

Psicólogos e cientistas não reconhecem o fenômeno chamado de milagre e afirmam que tudo que acontece é resultado de uma causa definida, embora tal causa não possa ser explicada. De qualquer maneira, é fato conhecido que a pessoa capaz de libertar a mente de todas as limitações autoimpostas por meio da atitude mental conhecida como fé geralmente encontra solução para todos os seus problemas, seja de que natureza forem.

Os psicólogos também reconhecem que a Inteligência Infinita, embora não seja uma solucionadora automática de todos os enigmas, leva à conclusão lógica qualquer ideia, meta, propósito ou desejo claramente definidos que sejam submetidos à mente subconsciente com uma atitude de perfeita fé. Porém, a Inteligência Infinita nunca tenta modificar, mudar ou alterar de alguma forma qualquer pensamento a ela submetido, e não se tem registro de que coloque em prática um mero desejo, ideia, pensamento ou objetivo indefinidos. Guarde essa verdade na sua cabeça e vai se descobrir de posse de poder suficiente para resolver seus problemas diários com muito menos esforço do que a maioria das pessoas dedica a se preocupar com seus problemas.

As chamadas "intuições" frequentemente são sinais de que a Inteligência Infinita está tentando alcançar e influenciar a mente consciente, mas você vai notar que normalmente aparecem em resposta a alguma ideia, plano, propósito, desejo ou a algum medo transmitido à mente subconsciente. Todas as intuições devem ser tratadas com delicadeza e examinadas com cuidado, já que muitas vezes expressam, no todo ou em parte, informação de elevado valor para o indivíduo que as recebe. As intuições costumam aparecer horas, dias ou semanas depois de o pensamento que as inspira ter alcançado o reservatório da Inteligência Infinita. É comum que nesse meio-tempo o indivíduo esqueça o pensamento original que as inspirou.

Esse é um assunto profundo sobre o qual até o mais sábio dos homens sabe muito pouco. Trata-se de um assunto que se revela apenas por meditação e pensamento. Entenda o princípio mental aqui descrito e você terá uma pista confiável sobre por que a meditação às vezes traz aquilo que o indivíduo deseja e, outras vezes, o que ele não quer. Esse tipo de atitude mental só é alcançado por meio de preparação e de autodisciplina conquistada por intermédio de uma fórmula que descrevei posteriormente.

Uma das verdades mais profundas do mundo é que os assuntos humanos, sejam circunstâncias de pensamento coletivo ou individual, moldam-se para se encaixar no padrão exato dos pensamentos. Pessoas bem-sucedidas só se tornam bem-sucedidas porque adquirem o hábito de pensar em termos de sucesso. Definição de objetivo pode e deve ocupar a mente tão completamente que não sobre tempo ou espaço para se pensar em fracasso.

Outra verdade profunda é que o indivíduo que foi derrotado e se reconhece como um fracasso pode, ao reverter a posição das "velas" de sua mente, transformar os ventos da adversidade em um poder de igual volume que o levará em direção ao sucesso, tal como no poema:

Um navio singra para o leste, o outro, para o oeste,
Impelidos pela mesma rajada de ar,
É a posição das velas, e não o vendaval,
Que determina para onde vão.

Para alguns que se orgulham de ser o que o mundo chama de "homens de negócios práticos, cabeça fria", essa análise do princípio da definição de objetivo pode parecer abstrata ou impraticável. Existe um poder maior que o poder do pensamento consciente e que muitas vezes não é perceptível pela mente finita do ser humano. A aceitação dessa verdade é essencial para a conclusão bem-sucedida de qualquer objetivo definido baseado no desejo de grandes realizações.

Os grandes filósofos de todos os tempos, de Platão e Sócrates a Emerson e aos modernos, e os maiores estadistas de nosso tempo, de George Washington a Abraham Lincoln, são conhecidos por terem recorrido ao "eu interior" em momentos de grande emergência. Não pedimos desculpas por nossa crença de que nenhum sucesso grandioso e duradouro jamais foi alcançado ou será algum dia alcançado exceto por aqueles que reconhecem e usam os poderes espirituais do Infinito, como podem ser sentidos e aos quais é possível recorrer por intermédio do "eu interior".

Todas as circunstâncias da vida de todos os indivíduos resultam de uma causa definida, seja ela uma circunstância que traz fracasso ou sucesso. E a maioria das circunstâncias da vida de todos nós é o resultado de causas sobre as quais se tem ou pode ter controle.

Essa verdade óbvia confere importância de primeira grandeza ao princípio de definição de objetivo. Se as circunstâncias da vida de um indivíduo não são as desejadas, ele pode modificá-las mudando sua atitude mental e formando novos hábitos mais desejáveis de pensamento.

Como definição de objetivo leva ao sucesso

De todos os grandes empresários que contribuíram para o desenvolvimento de nosso sistema industrial, nenhum foi mais espetacular do que Walter Chrysler. Sua história deve dar esperança a todo jovem americano que aspira conquistar fama ou fortuna e serve de evidência do poder que se pode obter agindo com definição de objetivo.

Chrysler começou como mecânico em uma oficina ferroviária de Salt Lake City, Utah. Acumulou uma poupança de pouco mais de US$ 4 mil, que pretendia usar como um fundo para montar um negócio próprio. Procurando com diligência, concluiu que a indústria automobilística era promissora, por isso decidiu entrar no ramo.

O ingresso de Chrysler na atividade foi ao mesmo tempo dramático e original. Seu primeiro passo chocou os amigos e surpreendeu os parentes, porque consistiu em investir todas as economias em um carro. Quando o automóvel chegou a Salt Lake City, ele chocou os amigos mais uma vez por desmontá-lo peça por peça, até espalhar os componentes por toda a oficina. Depois começou a remontar.

Chrysler repetiu essa operação tantas vezes que alguns amigos pensaram que havia perdido o juízo. Isso porque não entendiam o objetivo. Viam o que ele estava fazendo com o automóvel, e aquilo parecia inútil e sem propósito, mas o que não viam era o plano em formação na cabeça de Walter Chrysler.

Ele estava despertando em sua mente a "consciência do automóvel", saturando-a com definição de objetivo. Estava observando cuidadosamente cada detalhe do carro. Quando concluiu a tarefa de desmontar e remontar o automóvel, conhecia todos os pontos fortes e fracos. A partir dessa experiência, começou a projetar automóveis conferindo-lhes todas as qualidades do carro que tinha comprado e eliminando as falhas. Fez esse trabalho com tanto esmero que, quando os automóveis Chrysler chegaram ao mercado, se tornaram a sensação de toda a indústria automobilística. A ascensão de Walter Chrysler à fama e à fortuna foi rápida e certeira porque ele sabia aonde ia antes de começar e se preparou com precisão minuciosa para a jornada.

Observe aqueles que agem com definição de objetivo sempre que os encontrar e você vai se impressionar com a facilidade com que atraem a cooperação amigável de outras pessoas, superam resistência e conseguem o que querem. Analise Walter Chrysler em detalhes e observe como ele adquiriu as doze riquezas da vida e tirou o máximo proveito delas.

Chrysler começou desenvolvendo a maior de todas as riquezas, uma atitude mental positiva. Isso deu a ele um campo fértil no qual plantar e germinar a semente de seu objetivo principal definido, a fabricação de ótimos automóveis. Depois adquiriu outras riquezas uma por uma: boa saúde física, harmonia nos relacionamentos, liberdade do medo, esperança de realização, capacidade de ter fé, disponibilidade para compartilhar suas bênçãos, um trabalho que amava, mente aberta em todos os assuntos, capacidade de entender as pessoas e por fim segurança financeira.

Um dos fatores mais estranhos relacionados ao sucesso de Walter Chrysler é a simplicidade com que o conquistou. Sem uma quantia significativa de capital inicial. Com educação limitada. Sem patrocinadores ricos para financiar o negócio. Mas Chrysler tinha uma ideia prática e suficiente iniciativa pessoal para começar a desenvolvê-la exatamente de onde estava. Tudo de que precisava para traduzir seu objetivo principal definido em realidade parecia cair em suas mãos quase por milagre, tão depressa quanto ele estava preparado para receber – uma circunstância que não é incomum para quem age com definição de objetivo.

Um objetivo de US$ 2 milhões

Logo depois da publicação de *Think and Grow Rich* (apresentação em um volume da filosofia da realização pessoal de Andrew Carnegie)[2], a editora começou a receber encomendas do livro por telégrafo de livrarias em Des Moines, Iowa, e arredores.

Os pedidos solicitavam remessa imediata por correio expresso. A causa para a súbita demanda do livro permaneceu um mistério até, várias semanas mais tarde, o editor receber uma carta de Edward P. Chase, vendedor de seguros de vida da Sun Life Assurance Company. Na carta, ele dizia: "Escrevo para expressar minha grata apreciação por seu livro *Think and Grow Rich*. Segui os conselhos ao pé da letra. O resultado foi que recebi uma ideia que resultou na venda de uma apólice de seguro no valor de US$ 2 milhões, a maior venda individual desse tipo já realizada em Des Moines".

A frase-chave na carta de Chase é: "Segui os conselhos ao pé da letra". Ele agiu com base naquela ideia com definição de objetivo, e isso o ajudou a ganhar mais dinheiro em uma hora do que a maioria dos corretores de seguro ganha em cinco anos de esforço contínuo. Em uma frase curta, Chase contou toda a história de uma transação comercial que o elevou da categoria de corretor de seguros comum a membro da cobiçada Mesa-Redonda de US$ 1 Milhão.

Quando saiu para vender uma apólice de seguro de vida no valor de US$ 2 milhões, Chase levou consigo uma definição de objetivo apoiada pela fé. Ao contrário do que milhões de outras pessoas talvez tenham feito, Chase não leu o livro e depois o deixou de lado com uma atitude de cinismo ou dúvida, pensando que os princípios ali descritos poderiam servir para outros, mas não para ele. Chase leu o livro com a mente aberta, em clima

2 Lançado no Brasil pela Citadel Editora na versão original, em inglês, e na versão atualizada, em português, com o título *Quem pensa enriquece – O legado*.

de expectativa, reconheceu o poder das ideias ali contidas, apropriou-se daquelas ideias e seguiu em frente com definição de objetivo.

Em algum trecho do livro, a mente de Chase fez contato com a mente do autor, e esse contato acelerou sua mente de maneira tão definida e intensa que uma ideia nasceu. A ideia era vender uma apólice de seguro de vida maior do que ele já havia pensado vender. Na mesma hora a venda daquela apólice se tornou seu objetivo principal definido na vida. Ele agiu com base nesse objetivo sem hesitação ou demora, e pronto! O objetivo foi alcançado em menos de uma hora.

O indivíduo motivado por definição de objetivo e que age a partir desse objetivo com as forças espirituais de seu ser pode desafiar os indecisos e ultrapassá-los. Não faz diferença se ele vende seguros de vida ou abre valas.

Quando fresca na mente de alguém, uma ideia definida e potente pode modificar de tal forma a bioquímica mental que assume as qualidades espirituais que não reconhecem a realidade de fracasso ou derrota. A principal fraqueza da maioria dos homens é reconhecer os obstáculos que devem superar sem reconhecer o poder espiritual à sua disposição com o qual podem remover esses obstáculos quando quiserem.

O caminho para a mestria

Riquezas – as verdadeiras riquezas da vida – aumentam na exata proporção do escopo e da extensão do benefício que trazem àqueles com quem são compartilhadas. Sei que isso é verdade porque enriqueci compartilhando. Nunca beneficiei ninguém de maneira nenhuma sem ter recebido em troca, de uma ou outra fonte, dez vezes mais benefícios do que concedi.

Uma das maiores de todas as verdades que me foram reveladas é que a maneira mais certa de resolver problemas pessoais é encontrar alguém com um problema maior e ajudar essa pessoa a resolvê-lo, usando algum método de aplicação do hábito de fazer um esforço extra. Essa é uma fórmula simples, mas tem seu charme e magia e sempre funciona.

No entanto, você não pode se apropriar da fórmula pela simples aceitação do meu depoimento de sua validade. Você deve adotá-la e aplicá-la do seu jeito. Então, vai depor atestando sua validade.

Você vai descobrir que muitas oportunidades o cercam. Ajudando outras pessoas a encontrar o caminho, você o encontrará para si mesmo.

Você pode começar organizando um Clube da Parceria com os vizinhos ou colegas de trabalho, oferecendo-se para o papel de líder e professor do grupo. Aqui você vai aprender outra grande verdade, a de que a melhor maneira de se apropriar dos princípios da filosofia da realização individual é ensinando-a aos outros. Quando alguém começa a ensinar alguma coisa, também começa a aprender mais sobre aquilo que está ensinando.

Você é agora um estudante desta filosofia. Mas pode se tornar um mestre ensinando-a aos outros. Assim, sua compensação será garantida antecipadamente.

Se você é operário da indústria, esta é sua grande oportunidade de ajudar outras pessoas a ajustar seus relacionamentos em paz e harmonia. A solidez desta filosofia nunca foi superada, pois ela foi plenamente verificada pela experiência de indivíduos em todas as áreas da vida. A força de trabalho precisa não de agitadores, e sim de pacificadores. Também precisa de uma filosofia sólida para a orientação dos envolvidos – uma filosofia que beneficie tanto os gestores quanto os operários. Os princípios desta filosofia são perfeitamente adequados para isso.

O líder trabalhista que guiar seus liderados por esta filosofia terá a confiança destes e a mais plena cooperação de seus empregadores. Não é óbvio? Não é promessa suficiente de recompensa para justificar a adoção desta filosofia?

Uma organização de trabalhadores conduzida pelos princípios desta filosofia beneficiaria todos por ela afetados. O atrito seria substituído pela harmonia nas relações humanas. Agitadores e exploradores trabalhistas seriam automaticamente eliminados. Os fundos da organização trabalhista poderiam ser utilizados para a educação de seus membros, não para intrigas políticas. Haveria mais lucros para distribuição na forma de salários – lucros que os administradores das indústrias preferem dar aos funcionários em vez de serem obrigados a usar como fundo de defesa contra os esforços destrutivos de agitadores.

Existe a necessidade de um Clube da Parceria em todas as indústrias. Nas maiores, há espaço para muitos desses clubes. Operários e administradores deveriam se associar, porque há um território em comum baseado em princípios com os quais todos podem concordar. E concordância aqui significa concordar na bancada de trabalho ou no torno. Enfatizei esse campo específico de oportunidade porque reconheço que o caos existente no relacionamento entre a administração das indústrias e os operários constitui o problema econômico número um desta nação.

Se você ainda não adotou um objetivo principal definido na vida, aqui está uma oportunidade para isso. Você pode começar onde está, ajudando a ensinar esta filosofia àqueles que precisam dela.

Chegou o momento em que não só é benéfico ao indivíduo ajudar seu vizinho a resolver problemas pessoais, mas também é imperativo que cada um de nós o faça como meio de autopreservação. Se a casa de seu vizinho estivesse pegando fogo, você se ofereceria para ajudar a apagar o incêndio, mesmo que não fosse amigo dele, porque o bom senso o faria entender que esse seria o jeito de salvar a própria casa.

Ao recomendar a harmonia entre a administração das indústrias e os operários, não estou pensando apenas nos interesses dos executivos, porque reconheço que, se essa harmonia não prevalecer, logo não haverá gerência nem trabalhadores como há hoje. Já o indivíduo com uma boa filosofia de vida vai se descobrir cercado por uma abundância de oportunidades como não existia há uma década. Quem tenta progredir sem um objetivo principal definido encontrará dificuldades muito maiores do que aquelas que o homem mediano pode suplantar.

As oportunidades mais lucrativas do mundo de hoje e de amanhã irão para aqueles que se preparam para liderar na vocação escolhida. E liderança em qualquer campo de atuação requer uma sólida base filosófica. Os dias da liderança de tentativa e erro se foram para sempre. Capacitação, técnica e compreensão humana serão requisitos no mundo modificado de que agora nos aproximamos.

Os capatazes e supervisores nas indústrias terão que assumir novas responsabilidades no futuro. Não só deverão ser hábeis na mecânica do trabalho, que é tão essencial para a produção eficiente, como também deverão ser hábeis na produção de harmonia entre os trabalhadores pelos quais são responsáveis.

Os jovens de hoje se tornarão os líderes de nossa sociedade amanhã. O que vamos fazer com eles? Esse é um problema de primeira grandeza, e a maior parte da responsabilidade de resolvê-lo recairá sobre os ombros dos professores de escolas públicas.

Menciono esses fatos óbvios como evidência de que o futuro guarda oportunidades para serviço útil como nunca vimos antes; oportunidades nascidas da necessidade em um mundo que mudou tão rapidamente que alguns não reconhecem o escopo e a natureza das mudanças que ocorreram. Você que não tem um objetivo principal definido faça um levantamento para descobrir onde se encaixa nesse mundo modificado, prepare-se para novas oportunidades e tire proveito máximo delas.

Objetivos de sua escolha

Se eu tivesse o privilégio de escolher, sem dúvida selecionaria para você um objetivo principal definido adequado em todos os aspectos às suas qualificações e necessidades e poderia criar um plano simples para a realização da meta. Todavia, posso ser mais útil ensinando-lhe a escolher por si.

Em algum lugar ao longo do caminho, a ideia que você procura vai se revelar. Tem sido assim para a maioria dos estudantes desta filosofia. Quando a ideia aparece, você a reconhece, porque ela chega com tanta força que é impossível escapar. Pode ter certeza disso, desde que esteja realmente procurando a ideia.

Uma das características imponderáveis desta filosofia é que ela inspira a criação de novas ideias, revela a presença de oportunidades de progresso que antes passaram despercebidas e inspira a ação com base na iniciativa pessoal para agarrar essas oportunidades e tirar proveito máximo delas. Essa característica da filosofia não é resultado do acaso. Ela foi criada para produzir um efeito específico, já que é óbvio que uma oportunidade que um indivíduo cria para si ou uma ideia inspiradora do próprio pensamento é mais benéfica que outra tomada emprestada de terceiros, porque o procedimento pelo qual uma pessoa cria ideias úteis a leva inevitavelmente à descoberta da fonte de onde pode obter ideias adicionais quando precisar delas.

Embora seja de grande benefício ter acesso à fonte da qual se pode receber a inspiração necessária para criar as próprias ideias e autossuficiência seja um bem de valor inestimável, pode haver um momento em que o indivíduo precise se valer de recursos de outras mentes. E essa hora com certeza vai chegar àqueles que aspiram liderar nas mais altas esferas da realização pessoal.

No momento, vou revelar a você como o poder pessoal pode ser obtido mediante a consolidação de muitas mentes voltadas para a realização de propósitos definidos. Foi como Andrew Carnegie promoveu o início da grande era do aço e deu à América sua maior indústria, embora não tivesse capital inicial nem muita instrução. E foi como Thomas A. Edison se tornou o maior inventor de todos os tempos, embora não tivesse conhecimentos de física, matemática, química, eletrônica e muitas outras matérias científicas, todas essenciais ao trabalho de inventor.

Você deve ficar esperançoso por saber que falta de escolaridade, de capital inicial e de habilidade técnica não deve desanimá-lo a estabelecer como objetivo principal de vida qualquer propósito que escolha, pois esta filosofia fornece um caminho para a realização de qualquer objetivo razoável por qualquer pessoa de capacidade mediana. A única coisa que esta filosofia não pode fazer por você é escolher o seu objetivo. Contudo, uma vez que você tenha estabelecido seu objetivo, esta filosofia pode guiá-lo de modo infalível rumo à realização. Essa é uma promessa sem ressalvas.

Não podemos dizer-lhe o que desejar ou quanto sucesso querer, mas podemos e vamos revelar a fórmula pela qual o sucesso pode ser alcançado. Sua maior responsabilidade agora é descobrir o que deseja na vida, para onde está indo e o que vai fazer quando chegar lá. Essa é uma responsabilidade que ninguém, além de você, pode assumir, e é uma responsabilidade que 98% das pessoas nunca assumem. Essa é a maior razão pela qual só 2% das pessoas podem ser classificadas como bem-sucedidas.

O PODER DO DESEJO ARDENTE

Sucesso começa com definição de objetivo. Se isso parece ser excessivamente enfatizado, é por causa da característica comum da procrastinação, que influencia 98% das pessoas a passar pela vida sem nunca escolher um objetivo principal definido.

Singularidade de objetivo é um bem inestimável – inestimável porque bem poucos o têm. Todavia, é um bem do qual o indivíduo pode se apropriar instantaneamente. Escolha o que você quer da vida, decida chegar lá sem aceitar substitutos, e pronto! Você terá se apropriado de um dos bens mais valiosos disponíveis aos seres humanos.

Contudo, seu desejo não deve ser apenas vontade ou esperança. Tem que ser um desejo ardente e deve se tornar um desejo obsessivo tão ferrenho que você vai se dispor a pagar qualquer preço por sua realização. O preço pode ser muito ou pode ser pouco, mas você precisa condicionar sua mente a pagar, seja qual for o custo.

No momento em que escolher seu objetivo principal definido na vida, você vai observar a estranha circunstância de que meios para a conquista de tal propósito começarão imediatamente a se revelar. Oportunidades inesperadas surgirão em seu caminho. A cooperação de outras pessoas se tornará disponível, e amigos aparecerão como que em um passe de mágica. Seus medos e dúvidas começarão a desaparecer, dando lugar à autossuficiência.

Para os não iniciados, isso pode parecer uma promessa fantástica, mas não para quem se livrou da indecisão e escolheu um objetivo definido na vida. Falo não só a partir da observação de outros, mas também por experiência pessoal. Me transformei de fracasso desanimador em homem bem-sucedido e com isso adquiri o direito de lhe dar a garantia do que pode esperar ao seguir o mapa fornecido por esta filosofia.

Quando chegar ao momento inspirador em que escolher seu objetivo principal definido, não se deixe desanimar caso amigos e parentes mais próximos o chamem de sonhador. Lembre-se apenas de que os sonhadores têm sido os pioneiros de todo o progresso humano.

Não permita que ninguém o desestimule de sonhar, mas certifique-se de respaldar seus sonhos com ação baseada em definição de objetivo. Suas chances de sucesso são tão grandes quanto as de qualquer pessoa que o precedeu. Em muitos aspectos, suas chances são maiores, porque você agora tem acesso ao conhecimento dos princípios da realização individual que milhões de indivíduos bem-sucedidos do passado tiveram que adquirir da maneira mais demorada e difícil.

Ele sabia o que queria

Lloyd Collier nasceu em uma fazenda perto de Whiteville, Carolina do Norte, em uma família cuja situação financeira limitou suas chances de obter uma educação formal e o obrigou a começar a ganhar o próprio sustento ainda muito jovem. No início da adolescência, ele foi acometido por uma doença que paralisou seu corpo da cintura para baixo, uma condição que teria justificado a decisão de se sentar em uma esquina qualquer com uma canequinha e um pacote de lápis.

Alguns empresários em Whiteville criaram um pequeno fundo e mandaram Collier para a escola, onde ele aprendeu a consertar relógios. De volta, ele montou sua bancada de trabalho no fundo de uma lojinha, em um espaço gratuito, e começou a trabalhar como relojoeiro. Apesar da doença, Collier nunca perdeu a autoconfiança ou a alegria, dois traços de personalidade que logo lhe renderam muitos amigos e todo o trabalho que conseguia fazer.

Collier foi submetido à influência do livro *Think and Grow Rich*. Ficou tão impressionado que passou a se dedicar inteiramente à aplicação da fórmula de sucesso do famoso Andrew Carnegie, descrita no livro.

O primeiro passo foi escrever seu objetivo principal definido. Ele o gravou na memória e o repetia muitas vezes por dia. Em grande parte, isso fez dele proprietário da melhor joalheria em Whiteville, marido da garota mais bonita da cidade, dono da melhor casa e pai e educador de filhos felizes. Uma façanha e tanto para um homem que não podia contar com as pernas, que começou do zero e sem capital inicial. Mas ele conseguiu. Alcançou cada meta estabelecida em seu objetivo principal definido. Além disso, ainda era jovem o bastante para ter uma longa estrada pela frente e desfrutar de todas as merecidas bênçãos.

Collier se locomove em uma cadeira de rodas e dirige o próprio carro, construído especialmente para ele, com total autossuficiência. Sua joalheria é administrada por empregados confiáveis, com a esposa no comando da contabilidade. Se você fosse à loja de Collier, ele o cumprimentaria com entusiasmo da cadeira de rodas assim que o visse entrar. E você teria a sensação de estar na presença de um homem cuja aflição física não era de maneira nenhuma uma deficiência.

Lloyd Collier adotou um hábito que gente com problemas físicos menores que o dele bem poderia copiar. Todos os dias, ele faz uma prece de gratidão pelas bênçãos de que desfruta apesar da deficiência física e todos os dias ele vive e se relaciona com seus semelhantes sem buscar piedade. Em vez disso, busca a oportunidade de compartilhar algumas de suas bênçãos com os menos afortunados, certo de que só compartilhando ele pode enriquecer e multiplicar as próprias bênçãos.

Em Lloyd Collier reconhecemos a principal diferença entre um homem em uma esquina com uma canequinha e um pacote de lápis e um homem que se fez independente em termos financeiros e encontrou paz de espírito. A diferença é a atitude mental. Collier descobriu AMP (atitude mental positiva) e, por meio desta, encontrou o caminho para tudo que buscava. Quando começar a sentir pena de si mesmo ou deixar AMN (atitude mental negativa) se instalar, faça uma visita a Whiteville, Carolina do Norte, passe algumas horas com Lloyd Collier e você vai sair de lá repleto de AMP.

Os sábios compartilham a maior parte de suas riquezas com generosidade. Porém, compartilham sua confiança com moderação e tomam muito cuidado para não a colocar no lugar errado. Quando falam de seus objetivos e planos, geralmente o fazem mais com ações do que com palavras. Os sábios ouvem muito e falam com cautela, porque sabem que sempre se pode estar prestes a aprender alguma coisa valiosa quando se está ouvindo, mas pode não se aprender nada quando se fala, a menos que seja a tolice de falar demais. Há sempre um momento apropriado para falar e um momento apropriado para permanecer em silêncio. Na dúvida sobre falar ou permanecer em silêncio, os sábios dão a si mesmos o benefício da dúvida e ficam calados.

A troca de pensamentos pelo intercurso da fala é um dos meios mais importantes para se obter conhecimento útil, criar planos para a realização do objetivo principal definido e encontrar maneiras de pôr esses planos em prática. Discussões em mesa-redonda são prevalentes entre indivíduos nos mais elevados patamares de realização. Entretanto, isso é bem diferente das discussões inúteis nas quais alguns abrem sua mente para quem quiser entrar nela.

Agora vou revelar um método seguro pelo qual você pode trocar ideias com outros, tendo uma razoável garantia de receber na mesma medida em que dá ou mais. Por esse método, você não só pode falar à vontade de seus planos mais caros, como também vai se beneficiar com isso.

Vou revelar um importante cruzamento no qual você pode sair da estrada secundária que percorre rumo ao sucesso e pegar a estrada principal. O caminho estará claramente sinalizado para que você não se perca. O cruzamento a que me refiro é o ponto em que indivíduos dos mais elevados patamares de realização se separam de muitos dos antigos associados e confidentes e se juntam a pessoas preparadas para impulsioná-los na jornada rumo às riquezas.

Capítulo 4

O HÁBITO DE FAZER UM ESFORÇO EXTRA

Um importante princípio do sucesso em todas as esferas da vida e em todas as ocupações é a disposição para fazer um esforço extra, o que significa prestar mais e melhor serviço que aquele pelo qual se é pago e prestar esse serviço com uma atitude mental positiva. Procure onde quiser um único argumento sólido contra esse princípio e não encontrará, nem encontrará um só caso de sucesso duradouro que não tenha sido alcançado em parte por sua aplicação.

Esse princípio não é criação humana. É parte do trabalho da natureza, porque é óbvio que toda criatura viva abaixo da inteligência humana é forçada a aplicá-lo a fim de sobreviver. O homem pode desconsiderar o princípio se quiser, mas não sem abrir mão de desfrutar dos frutos do sucesso duradouro.

Observe como a natureza aplica esse princípio na produção do alimento que cresce do solo; o fazendeiro é obrigado a fazer um esforço extra limpando a terra, arando e plantando a semente no tempo certo do ano sem receber pagamento adiantado. Mas observe que, se ele faz o trabalho em harmonia com as leis da natureza e executa o serviço necessário, a natureza se encarrega de tudo quando o trabalho do fazendeiro termina, germinando as sementes que ele planta e desenvolvendo uma safra.

Observe com atenção este fato importante: para cada grão de trigo ou milho que o agricultor planta no solo, a natureza entrega talvez uns cem grãos, permitindo que ele se beneficie da lei dos retornos crescentes. A natureza faz um esforço extra produzindo o suficiente de tudo e um excedente para emergências e perdas – de frutas nas árvores, de flores das quais as frutas crescem, de sapos na lagoa e de peixes no mar, por exemplo. A natureza faz um esforço extra produzindo o suficiente de cada coisa viva para garantir a perpetuação das espécies, antecipando emergências de todo tipo. Se isso não fosse verdade, todas as espécies vivas logo desapareceriam.

Há quem acredite que os animais na floresta e as aves no céu vivem sem trabalhar, mas pessoas atentas sabem que isso não é verdade. É verdade que a natureza fornece as fontes de suprimentos de comida para todos os seres vivos, mas cada criatura deve trabalhar antes de conseguir usufruir desse alimento. Vemos, então, que a natureza desestimula o hábito que alguns podem ter adquirido de tentar conseguir alguma coisa em troca de nada.

As vantagens do hábito de fazer um esforço extra são definidas e compreensíveis. Vamos examinar algumas delas e nos convencer disso.

O hábito atrai para o indivíduo a atenção favorável daqueles que podem e vão gerar oportunidades de progresso pessoal. Costuma tornar a pessoa indispensável em diversas relações humanas, permitindo assim que ela receba compensação mais do que mediana por serviços pessoais. Leva ao crescimento mental, à habilidade física e à perfeição em muitas formas de empreendimento, aumentando assim a capacidade do indivíduo de auferir rendimentos. Protege contra o desemprego quando o emprego é escasso e coloca o indivíduo em posição de assegurar o mais desejado dos empregos. Permite ao indivíduo lucrar com a lei do contraste, já que a maioria das pessoas não tem esse hábito.

Fazer um esforço extra leva ao desenvolvimento de uma atitude mental positiva e agradável, essencial ao sucesso duradouro. Costuma desenvolver uma imaginação aguçada, alerta, porque inspira a busca contínua por novas e melhores maneiras de prestar serviço. Desenvolve a importante qualidade da iniciativa pessoal. Desenvolve autossuficiência e coragem. Serve para construir a confiança de terceiros na integridade do indivíduo. Ajuda a superar o hábito destrutivo da procrastinação. Desenvolve a definição de objetivo, protegendo o indivíduo contra o hábito comum da falta de propósito.

Dê mais, receba mais

Existe outra razão ainda maior para se cultivar o hábito de fazer um esforço extra. Ele fornece a única razão lógica para pedir aumento de compensação.

Se um homem não presta mais serviço do que aquele pelo qual é pago, é óbvio que está recebendo todo o pagamento a que tem direito. Ele deve prestar todo o serviço pelo qual é pago a fim de manter seu emprego ou fonte de renda, independentemente de como ganhe a vida. Mas ele tem sempre o privilégio de prestar um excedente de serviço como meio de acumular uma reserva de boa vontade e fornecer um motivo justo para pleitear mais pagamento, um cargo melhor ou as duas coisas.

Toda posição que tem por base um salário ou remuneração oferece uma oportunidade de progresso pela aplicação desse princípio, e é importante notar que o sistema da livre-iniciativa é operado com base na premissa de dar a todo trabalhador da indústria um incentivo para a aplicação do princípio.

Qualquer prática ou filosofia que prive o indivíduo do privilégio de fazer um esforço extra é ruim e fadada ao fracasso, porque é óbvio que esse princípio é o principal trampolim com o qual ele pode receber compensação por sua habilidade extraordinária, experiência ou educação; é o princípio que traz autodeterminação, seja qual for a ocupação, profissão ou vocação a que se dedique.

Nos Estados Unidos, qualquer um pode ganhar a vida sem o hábito de fazer um esforço extra. E muitos fazem exatamente isso, mas a segurança econômica e os luxos disponíveis no grande estilo de vida americano são acessíveis apenas aos indivíduos que fazem desse princípio uma parte de sua filosofia de vida e o praticam diariamente.

Cada regra conhecida da lógica e do senso comum força a aceitação dessa afirmação como verdadeira. E até uma análise superficial de pessoas nos mais altos patamares do sucesso prova que isso é verdade.

Os líderes do sistema americano são taxativos em suas exigências de que todo trabalhador tenha protegido seu direito de adotar e aplicar o princípio de fazer um esforço extra porque reconhecem por experiência própria que a futura liderança da indústria depende de gente que se disponha a seguir esse princípio. É fato bem conhecido que Andrew Carnegie desenvolveu mais líderes bem-sucedidos na indústria do que qualquer outro grande industrial americano. A maioria deles saiu das fileiras de diaristas comuns, e muitos acumularam vastas fortunas pessoais que não poderiam adquirir sem a orientação de Carnegie.

O primeiro teste que Carnegie aplicava a quem queria promover era determinar em que medida esse trabalhador estava disposto a fazer um esforço extra. Foi esse teste que o levou a descobrir Charles M. Schwab. Quando chamou a atenção de Carnegie pela primeira vez, Schwab trabalhava como diarista em uma das fábricas do mestre do aço. A observação atenta revelou que Schwab sempre prestava mais e melhor serviço do que aquele pelo qual era pago. Além disso, prestava o serviço com uma atitude mental agradável que o fazia popular entre os colegas. Ele foi promovido de um cargo a outro até ser enfim nomeado presidente da grande United States Steel Corporation, com um salário de US$ 75 mil por ano. Nem com toda a genialidade humana ou com todos os ardis a que os homens recorrem a fim de ter alguma coisa em troca de nada Charles M. Schwab, o diarista, poderia ganhar US$ 75 mil ao longo de sua vida inteira se não tivesse adotado e seguido espontaneamente o hábito de fazer um esforço extra.

Em algumas ocasiões, Carnegie não só pagou o salário de Schwab, que já era bem generoso, como também lhe deu até US$ 1 milhão na forma de bônus. Quando perguntaram por que dava a Schwab um bônus tão maior que seu salário, Carnegie respondeu com palavras que todo trabalhador, seja qual for seu cargo ou salário, bem pode considerar. "Dei a ele o salário pelo trabalho que de fato executou", respondeu Carnegie, "e o bônus pela disposição de fazer um esforço extra, dando um bom exemplo aos colegas trabalhadores."

Pense nisso. Um salário de US$ 75 mil ao ano, pago a um homem que começou como diarista, e um bônus de mais de dez vezes esse valor pela boa vontade expressada pela disposição de fazer mais do que aquilo pelo que era pago.

Realmente compensa fazer um esforço extra, porque, cada vez que faz isso, o indivíduo coloca outra pessoa em situação de obrigação com ele. Ninguém é obrigado a seguir o hábito de fazer um esforço extra, e raramente alguém é solicitado a prestar mais serviço do que aquele pelo qual é pago. Portanto, o hábito deve ser adotado por iniciativa pessoal.

A Constituição dos Estados Unidos garante a todos esse privilégio, e o sistema americano recompensa e gratifica os que seguem esse hábito, tornando impossível que se adote tal hábito sem receber compensação apropriada. A compensação pode vir de várias formas. Aumento de salário é uma certeza. Promoções voluntárias são inevitáveis. Condições de trabalho favoráveis e relacionamentos humanos agradáveis são certos. E tudo isso leva à segurança econômica que se pode alcançar por méritos próprios.

Há ainda outro benefício a ser conquistado. O hábito de fazer um esforço extra mantém o indivíduo com a consciência limpa e serve como um estimulante para a alma. Portanto, é um construtor de caráter sem igual entre os hábitos humanos.

Você que tem filhos em fase de crescimento pode bem se lembrar disso pelo bem deles. Ensine a uma criança os benefícios de prestar mais e melhor serviço do que aquele que é habitual e fará uma contribuição ao caráter dessa criança que a beneficiará por toda a vida.

A filosofia de Andrew Carnegie é essencialmente econômica. Mas é mais que isso. Também é uma filosofia de ética nas relações humanas. Leva à harmonia, compreensão e piedade pelos fracos e desafortunados. Ensina ao indivíduo como se tornar guardião de seu irmão e, ao mesmo tempo, o recompensa por isso.

O hábito de fazer um esforço extra é apenas um dos dezessete princípios da filosofia recomendada àqueles que buscam riquezas, mas vamos considerar como está diretamente relacionado a cada uma das doze riquezas. Primeiro, esse hábito está inseparavelmente relacionado ao desenvolvimento da mais importante das doze riquezas, uma atitude mental positiva. Quando alguém se torna mestre das próprias emoções e aprende a bendita arte da autoexpressão pela prestação de serviço útil a outros, progrediu muito na direção do desenvolvimento de uma atitude mental positiva.

Com uma atitude mental positiva como construtora do padrão de pensamento adequado, o restante das doze riquezas se encaixa nesse padrão tão naturalmente quanto a noite segue o dia, e com a mesma inevitabilidade. Reconheça essa verdade e você vai entender por que o hábito de fazer um esforço extra proporciona benefícios que vão muito além do acúmulo de riquezas materiais. Vai entender também por que esse princípio foi posto em primeiro lugar na filosofia da realização individual.

Uma pessoa boa demais para se perder

Observe que o aviso para prestar mais e melhor serviço do que aquele pelo qual se é pago é paradoxal, porque é impossível prestar esse tipo de serviço sem receber a compensação apropriada. A compensação pode chegar em várias formas e de várias fontes, algumas estranhas e inesperadas, mas chegará.

O trabalhador que presta esse tipo de serviço talvez nem sempre receba a compensação apropriada da pessoa a quem prestou o serviço, mas o hábito atrairá muitas oportunidades de progresso pessoal, inclusive novos empregos mais favoráveis. Assim, a recompensa chegará indiretamente. Ralph Waldo Emerson tinha essa verdade em mente quando disse, no ensaio "Compensação": "Se você serve a um mestre ingrato, sirva-o ainda mais. Ponha Deus em dívida com você. Cada movimento deverá ser recompensado. Quanto mais tempo demorar o pagamento, melhor para você, porque juros sobre juros é o ritmo e o costume desse erário".

Falando mais uma vez em termos que parecem paradoxais, lembre-se de que o momento mais adequado para a pessoa se dedicar ao trabalho é aquele em que não recebe nenhuma compensação financeira direta ou imediata. É preciso lembrar que há duas formas de compensação disponíveis para quem trabalha por salário. Uma é o pagamento que recebe em dinheiro. A outra é a habilidade que adquire com a experiência, uma forma de compensação que frequentemente excede a remuneração monetária, porque habilidade e experiência são os bens mais importantes do trabalhador, as coisas com as quais ele pode se promover e conquistar salários mais altos e maiores responsabilidades.

A atitude de quem segue o hábito de fazer um esforço extra é esta: reconhecer a verdade de que está sendo pago para se instruir para uma posição melhor e um pagamento maior. Esse é um bem do qual nenhum trabalhador pode ser alienado, por mais egoísta ou ganancioso que seja o empregador. Esse é o juro sobre juros que Emerson mencionou.

Foi exatamente esse bem que permitiu a Charles M. Schwab subir, degrau por degrau, de seu início humilde como diarista à mais alta posição que seu empregador tinha a oferecer; também foi esse bem que deu a

Schwab um bônus mais de dez vezes maior que o valor de seu salário. O bônus de US$ 1 milhão que Schwab recebeu foi o pagamento por ter se esforçado ao máximo e da melhor maneira possível em cada função que desempenhou – uma circunstância, vamos lembrar, que ele controlou inteiramente. E uma circunstância que não poderia ter acontecido caso ele não seguisse o hábito de fazer um esforço extra.

Carnegie teve pouco a ver com a circunstância, se é que teve. Era algo que estava completamente fora de suas mãos. Sejamos generosos ao presumir que Carnegie recompensou Schwab por saber que ele havia feito por merecer o pagamento adicional que não tinha sido prometido. Mas a verdade talvez seja que ele preferiu pagar a perder um homem tão valioso. Vamos notar aqui que quem segue o hábito de fazer um esforço extra coloca o comprador de seus serviços na dupla obrigação de pagar uma compensação justa, uma delas baseada em seu senso de justiça, e a outra no medo de perder uma pessoa valiosa.

Assim, vemos que, seja qual for nossa visão do princípio de fazer um esforço extra, chegamos sempre à mesma resposta – esse hábito paga juros sobre juros a todos que o seguem. Também entendemos o que um grande industrial tinha em mente quando disse: "Pessoalmente, não estou muito interessado em uma lei de quarenta horas semanais mínimas de trabalho, porque estou tentando descobrir como posso reunir quarenta horas em um único dia".

O homem que fez essa afirmação tinha as doze riquezas em abundância e admite abertamente que as conquistou trabalhando a partir de um começo humilde, pondo em prática o hábito de fazer um esforço extra a cada passo do caminho. Foi esse mesmo homem que disse: "Se eu fosse compelido a arriscar minhas chances de sucesso em apenas um dos dezessete princípios da realização, apostaria tudo sem hesitar no princípio de fazer um esforço extra". Felizmente ele não foi obrigado a fazer essa escolha, porque os dezessete princípios da realização pessoal se relacionam como os elos de uma corrente. Portanto, fundem-se em um meio de grande poder por meio da coordenação de seu uso. A omissão de qualquer um dos princípios enfraqueceria esse poder, como a remoção de um único elo enfraqueceria a corrente.

O poder dos dezessete princípios não está nos princípios, mas em sua aplicação e uso. Quando os princípios são aplicados, mudam a química mental de uma atitude negativa para uma positiva. É a atitude mental positiva que atrai o sucesso, conduzindo o indivíduo à conquista das doze riquezas. Cada um desses princípios representa, por seu uso, uma característica definida e positiva da mente, e cada circunstância que se beneficia do poder de pensamento requer o uso de alguma combinação desses princípios.

Os dezessete princípios podem ser comparados às letras do alfabeto, cujas combinações permitem a expressão de todo o pensamento humano. As letras individuais transmitem pouco ou nenhum significado, mas, quando combinadas, formando palavras, podem expressar qualquer pensamento que se possa conceber. Os dezessete princípios são o alfabeto da realização individual; por meio deles, todos os talentos podem ser expressos em sua forma mais elevada e mais benéfica. Com isso, proporcionam os meios para se alcançar a grande chave mestra das riquezas.

Capítulo 5

AMOR, O VERDADEIRO LIBERTADOR DA HUMANIDADE

O amor é a maior experiência humana. Coloca o indivíduo em comunicação com a Inteligência Infinita. Quando se mistura às emoções do sexo e do romance, pode conduzir aos mais altos picos da realização individual por meio de visão criativa. As emoções de amor, sexo e romance são os três lados do eterno triângulo de realização conhecido como genialidade. A natureza não cria gênios por nenhum outro meio.

O amor é uma expressão exterior da natureza espiritual humana. Sexo é puramente biológico, mas fornece as molas para a ação em todo esforço criativo, desde a mais humilde criatura rastejante até a mais aprimorada de todas as criações – os seres humanos. Quando amor e sexo se combinam com o espírito de romance, o mundo pode se regozijar, porque esses são os potenciais dos grandes líderes que são os maiores pensadores do mundo.

O amor iguala toda a humanidade. Elimina o egoísmo, a ganância, o ciúme e a inveja e faz reis os mais humildes. A verdadeira grandeza nunca será encontrada onde não habitar o amor.

O amor a que me refiro não deve ser confundido com as emoções do sexo, porque o amor em sua mais elevada e mais pura expressão é uma combinação do eterno triângulo, mas é maior que qualquer uma de suas três partes. O amor a que me refiro é o *élan* vital, o fator que gera vida, a mola que produz ação de todas as atividades criativas que alçaram a humanidade a seu atual estado de refinamento e cultura. É o fator que traça uma clara demarcação entre o ser humano e todas as criaturas abaixo dele neste mundo. É o fator que determina quanto espaço cada um ocupa no coração de seus semelhantes.

O amor é a base sólida sobre a qual a primeira das doze riquezas – a atitude mental positiva – pode ser construída, e é bom ressaltar que ninguém pode ser realmente rico sem ele. O amor é a estrutura que sustenta as outras onze riquezas. Embeleza todas as riquezas e dá a elas a qualidade da resistência; a prova disso pode ser vista mediante uma rápida observação de todas as pessoas que adquiriram riquezas materiais, mas não conquistaram amor. O hábito de fazer um esforço extra leva à obtenção desse espírito de amor, porque não pode haver maior expressão de amor do que aquele demonstrado pelo serviço prestado de maneira altruísta em benefício de outros.

Emerson tinha em mente o tipo de amor a que me refiro quando disse:

> Aqueles que são capazes de humildade, de justiça, de amor, de aspiração, já estão na plataforma que comanda as ciências, as artes, a prosa e a poesia, a ação e a graça. Porque os que habitam nessa mortal beatitude já antecipam os poderes especiais que a humanidade tanto valoriza…
>
> O magnânimo sabe muito bem que aqueles que dão tempo, dinheiro ou abrigo a um estranho – por amor, não por ostentação – colocam Deus em dívida com eles, tão perfeitas são as compensações do Universo. De algum jeito, o tempo que parecem perder é redimido, e os esforços que fazem se remuneram. Esses indivíduos alimentam

a chama do amor humano e elevam o padrão da virtude cívica em meio à humanidade.

As grandes mentes de todas as eras reconheceram o amor como o elixir eterno que cicatriza as feridas da alma da humanidade e faz do ser humano o guardião de seu irmão. Uma das maiores mentes que esta nação já produziu expressa suas opiniões sobre amor em um clássico que viverá tanto quanto o tempo. Disse ele:

> O amor é o único arco na nuvem escura da vida. É a estrela da manhã e da noite. Brilha sobre o bebê e derrama sua luz sobre o túmulo silencioso. É a mãe da arte, inspirador do poeta, do patriota e do filósofo.
>
> É o ar e a luz de todo coração, construtor de todo lar, faísca que acende todo fogo em toda lareira. Foi o primeiro a sonhar com imortalidade. Enche o mundo de melodia, porque a música é a voz do amor.
>
> O amor é o mago, o encantador que transforma coisas sem valor em alegria, que faz reis e rainhas de argila comum. É o perfume daquela flor maravilhosa, o coração, e sem essa paixão sagrada, sem essa vertigem divina, somos menos que animais; com ele, terra é céu, e somos deuses.
>
> Amor é transfiguração. Enobrece, purifica e glorifica... Amor é uma revelação, uma criação. Do amor o mundo toma emprestada a beleza, e dos céus, a glória. Justiça, abnegação, caridade e piedade são filhas do amor... Sem amor toda a glória desaparece, o nobre perde a vida, a arte morre, a música perde significado e se torna simples movimentos do ar, e a virtude deixa de existir.

Se um indivíduo é realmente grandioso, ele ama toda a humanidade. Ama os bons e os maus em meio a toda a humanidade. Os bons ele ama com orgulho, admiração e alegria. Os maus ele ama com piedade e pesar, pois sabe, se é realmente grandioso, que as boas e más qualidades nos homens são com frequência resultados de circunstâncias sobre as quais eles têm, por causa de sua ignorância, pouco controle.

Se um indivíduo é realmente grandioso, é compassivo, solidário e tolerante. Quando compelido a julgar outras pessoas, tempera a justiça com terna misericórdia, ficando sempre ao lado dos fracos, dos desinformados e dos assolados pela pobreza. Assim, não só faz esforços extras em verdadeiro espírito de amizade, mas também age de modo espontâneo e misericordioso. E, se o primeiro esforço extra não é suficiente, o mantém e intensifica tanto quanto seja necessário.

Alguns beneficiados pelo hábito de fazer um esforço extra

Ninguém faz nada voluntariamente sem motivo. Vejamos se podemos revelar um bom motivo para justificar o hábito de fazer um esforço extra observando algumas pessoas já beneficiadas por ele.

Muitos anos atrás, uma senhora andava por uma loja de departamentos de Pittsburgh, obviamente matando o tempo. Passava por balcões e mais balcões sem atrair a atenção de ninguém. Todos os vendedores a identificaram como alguém que estava só olhando sem intenção de comprar. Faziam questão de olhar para o outro lado quando ela parava diante do balcão em que estavam atendendo.

Que negócio caro se tornou essa negligência.

A senhora por fim se dirigiu a um balcão onde um jovem vendedor se inclinou com cortesia e perguntou se poderia ajudá-la.

"Não", respondeu ela. "Estou só matando tempo, esperando a chuva passar para poder ir para casa."

"Muito bem, senhora." O rapaz sorriu. "Posso lhe oferecer uma cadeira?" E foi buscar a cadeira sem esperar pela resposta. Quando a chuva parou, o jovem conduziu a mulher pelo braço até a saída da loja e se despediu dela. Antes de partir, ela pediu o cartão dele.

Vários meses depois, o dono da loja recebeu uma carta pedindo que o rapaz fosse enviado à Escócia para pegar um pedido de mobília para uma residência. O dono da loja respondeu que lamentava muito, o rapaz não trabalhava no departamento de decoração, mas poderiam enviar um "homem experiente" para fazer o serviço.

A resposta foi de que só o rapaz interessava. As cartas eram assinadas por Andrew Carnegie, e a "casa" que ele queria decorar era o castelo Skibo, na Escócia. A senhora era mãe de Carnegie. O rapaz foi enviado à Escócia. Recebeu um pedido no valor de várias centenas de milhares de dólares em mobília, e com este uma sociedade na loja. Mais tarde se tornou dono de metade das ações da loja.

Realmente compensa fazer um esforço extra.

Há alguns anos, o editor da revista *The Golden Rule* foi convidado a dar uma palestra na Escola Palmer, em Davenport, Iowa. Ele aceitou o convite com base em seu cachê regular, que era de US$ 100 mais despesas de viagem. Na faculdade, coletou material para várias edições da revista. Depois da palestra, quando estava pronto para voltar a Chicago, foi orientado a apresentar suas despesas de viagem e receber o cheque. O editor se recusou a aceitar dinheiro pela palestra e para as despesas, explicando que já havia sido adequadamente remunerado pelo material obtido para a revista. Depois pegou o trem para Chicago sentindo-se recompensado pela viagem.

Na semana seguinte, começou a receber muitas assinaturas de Davenport. No fim da semana, havia recebido mais de US$ 6 mil em dinheiro pelas assinaturas da revista. Em seguida, recebeu uma carta do Dr. Palmer explicando que as assinaturas eram de seus alunos, que haviam tomado conhecimento de que o editor havia recusado o dinheiro a ele prometido e pelo qual trabalhara.

Durante os dois anos seguintes, alunos e graduados da Palmer School renderam mais de US$ 50 mil em assinaturas de *The Golden Rule*. A história causou tanto impacto que foi publicada em uma revista com circulação em todos os países de língua inglesa, e chegaram pedidos de assinatura de muitos países.

Assim, ao prestar um serviço no valor de US$ 100 e não cobrar, o editor colocou em prática a lei dos retornos crescentes, o que rendeu a ele um montante mais de quinhentas vezes maior do que seu investimento. O hábito de fazer um esforço extra não é utopia. Ele recompensa, e recompensa bem. Além disso, não cai no esquecimento. Como outros tipos de investimento, o hábito de fazer um esforço extra muitas vezes rende dividendos durante toda a vida de quem o pratica.

Vamos dar uma olhada no que aconteceu quando um indivíduo perdeu a chance de fazer um esforço extra. Em uma tarde chuvosa, um vendedor de automóveis estava sentado atrás de sua mesa no *showroom* em Nova York onde eram vendidos veículos caros. A porta se abriu, e entrou um homem gingando uma bengala, com ar desenvolto.

O "vendedor" ergueu os olhos do jornal vespertino, deu uma rápida olhada no recém-chegado e imediatamente o classificou como mais um daqueles apreciadores de vitrine da Broadway, gente que não fazia nada além de desperdiçar o valioso tempo alheio. Voltou a ler o jornal, sem se dar ao trabalho de sequer se levantar da cadeira.

O homem da bengala circulou pelo *showroom*, olhando carro por carro. Finalmente, se aproximou da mesa do "vendedor" e, apoiado na bengala, perguntou o preço de três carros expostos. Sem erguer os olhos do jornal, o "vendedor" respondeu e continuou lendo.

O homem foi de novo até os três automóveis que tinha olhado, cutucou os pneus de cada um, voltou à mesa do sujeito ocupado e falou: "Bom, não sei se levo esse, aquele, o outro ali ou se compro os três". O vendedor ocupado atrás da mesa deu uma risadinha desdenhosa, como se dissesse: "Exatamente como eu pensava".

O homem da bengala continuou: "Ah, acho que vou comprar só um. Mande aquele com as rodas amarelas para minha casa amanhã. Aliás, quanto disse que custa?". Pegou o talão de cheques, preencheu uma folha com o valor do automóvel, entregou-a ao "vendedor" e foi embora. Quando o "vendedor" viu o nome no cheque, ficou muito vermelho e quase teve um infarto. Quem assinava o cheque era Harry Payne Whitney, e o "vendedor" entendeu que, se tivesse ao menos se dignado a levantar da cadeira, poderia ter vendido os três automóveis sem nenhum esforço.

Prestar menos que o melhor serviço de que se é capaz custa caro – um fato que muita gente aprende tarde demais. O direito à iniciativa pessoal não tem muito valor para quem é indiferente ou preguiçoso demais para exercitá-lo. Muita gente se enquadra nessa categoria e não consegue entender por que nunca acumula riquezas.

Há mais de quarenta anos, um jovem vendedor de uma loja de ferramentas notou que o estabelecimento tinha muitos produtos ultrapassados que não eram vendidos. Com tempo sobrando, organizou uma mesa especial no centro da loja. Ali colocou alguns daqueles produtos que não eram vendidos, etiquetando-os com um preço de liquidação de dez centavos por peça. Para surpresa dele e do dono da loja, os produtos foram vendidos como pão quente.

Dessa experiência surgiu a cadeia de lojas de cinco e dez centavos do grande Frank W. Woolworth, o rapaz da ferragem que, ao fazer um esforço extra, teve uma ideia que lhe rendeu uma fortuna estimada em mais de US$ 50 milhões. A mesma ideia enriqueceu várias outras pessoas e está no centro de muitos outros sistemas mercantis lucrativos da América.

Ninguém disse ao jovem Woolworth para exercitar seu direito à iniciativa pessoal. Ninguém pagou por isso, mas sua atitude produziu retornos sempre crescentes. Assim que pôs a ideia em prática, os retornos crescentes quase o afogaram.

O hábito de fazer mais do que aquilo pelo que se é pago beneficia quem o adota até quando a pessoa está dormindo. Depois que começa a funcionar, gera acumulação de riqueza com tamanha rapidez que parece magia, como a lâmpada de Aladim, que invoca a ajuda de um exército de gênios que chegam carregados de sacos de ouro.

Há uns trinta anos, o vagão de trem particular de Charles M. Schwab parou ao lado de sua siderúrgica na Pennsylvania. Era uma manhã gelada. Quando desceu do vagão, Schwab foi recebido por um rapaz com um bloco de estenografia nas mãos. O jovem prontamente explicou que era estenógrafo no escritório central da siderúrgica e tinha ido esperar o vagão para ver se Schwab precisava escrever alguma carta ou mandar telegramas.

"Quem pediu para você vir me encontrar?", indagou Schwab.

"Ninguém", respondeu o rapaz. "Vi o telegrama anunciando sua chegada e desci para recebê-lo, porque achei que poderia ser útil de algum jeito."

Pense nisso! Ele foi lá esperando poder fazer alguma coisa pela qual não era pago. E foi por iniciativa própria, sem que ninguém mandasse.

Schwab agradeceu a atenção, mas disse que não precisava de um estenógrafo naquele momento. Depois de anotar o nome do rapaz, mandou-o de volta ao trabalho.

Naquela noite, quando o vagão particular foi acoplado ao trem noturno para voltar a Nova York, o jovem estenógrafo estava a bordo. A pedido de Schwab, ele fora designado para trabalhar em Nova York como um dos assistentes do magnata do aço. O nome do rapaz era Williams. Ele trabalhou para Schwab por muitos anos e recebeu diversas promoções.

É peculiar, mas é assim mesmo que acontece: as oportunidades sempre chegam para quem adota o hábito de fazer um esforço extra. Williams, por exemplo, deparou com uma oportunidade que não pôde ignorar; foi nomeado presidente e acionista de um dos maiores laboratórios farmacêuticos dos Estados Unidos, cargo que lhe rendeu uma fortuna muito maior que suas necessidades. Esse episódio é uma clara evidência do que pode acontecer e tem acontecido ao longo dos anos no estilo de vida americano.

O hábito de fazer um esforço extra não limita suas recompensas aos assalariados. Funciona igualmente bem para empregador e empregado, como testemunhou agradecido um comerciante que conhecemos. O nome dele era Arthur Nash. Sua área de comércio era a alfaiataria. Há alguns anos, Nash viu seu negócio soçobrar. Condições sobre as quais ele parecia não ter controle o levaram à beira da falência. Um dos problemas mais sérios foi que os empregados absorveram seu espírito derrotista e o expressaram no trabalho, mostrando-se mais lentos e insatisfeitos. A situação ficou desesperadora. Alguma coisa precisava ser feita, e tinha de ser rápido, se ele quisesse continuar nos negócios.

Por puro desespero, Nash reuniu os empregados e falou da situação. Enquanto falava, teve uma ideia. Disse que tinha lido um artigo na revista *The Golden Rule* sobre como o editor tinha feito um esforço extra prestando serviço pelo qual recusara pagamento e fora voluntariamente recompensado com mais de US$ 6 mil em assinaturas da revista. Acabou sugerindo que, se ele e todos os empregados entrassem nesse espírito e começassem a fazer um esforço extra, talvez salvassem a empresa.

Nash prometeu aos empregados que, se o acompanhassem no experimento, ele se empenharia em continuar no negócio, desde que todos esquecessem salário e horário de expediente, pegassem junto e fizessem o melhor que pudessem, assumindo o risco de não receber pelo trabalho. Se conseguissem reverter a situação da empresa, todos os empregados receberiam salários retroativos com bônus.

Os empregados gostaram da ideia e concordaram com a tentativa. No dia seguinte, começaram a trazer suas economias, que emprestaram voluntariamente a Nash. Todos passaram a trabalhar com nova disposição, e o negócio começou a dar sinais de vida nova. Logo voltou a realizar os pagamentos. Depois começou a prosperar como nunca. Dez anos mais tarde, a empresa havia enriquecido Nash. Os empregados estavam mais prósperos do que nunca, e todos estavam felizes.

Arthur Nash faleceu, mas hoje o negócio continua ativo e é uma das mais bem-sucedidas empresas de alfaiataria da América. Os empregados assumiram as rédeas quando Nash se retirou. Pergunte a qualquer um deles o que acha de fazer um esforço extra e você terá a resposta. Mais que isso, fale com um dos vendedores de Nash e observe seu entusiasmo e autossuficiência. Quando o estimulante do esforço extra entra na mente de uma pessoa, ela se torna um tipo diferente de indivíduo. O mundo lhe parece diferente, e parece diferente porque é diferente.

Agora é hora de lembrar algo importante sobre o hábito de fazer um esforço extra realizando mais do que aquilo por que se é pago. É a estranha influência exercida sobre quem pratica esse hábito. O maior benefício não é de quem recebe o serviço. O maior benefício é de quem presta o serviço, na forma de uma atitude mental transformada, que proporciona mais influência sobre outras pessoas, mais autossuficiência, iniciativa, entusiasmo, visão e definição de objetivo. Todas essas são qualidades para o sucesso na realização.

"Faça a coisa e terá o poder", disse Emerson. Ah, sim, o poder! O que uma pessoa pode fazer em nosso mundo sem poder? Mas tem que ser o tipo de poder que atrai outras pessoas, em vez de repelir. Deve ser uma forma de poder que ganha impulso a partir da lei dos retornos crescentes, por intermédio da qual os atos e ações do indivíduo retornam a ele grandemente multiplicados.

Um jeito fácil de conseguir o que você quer

Se você trabalha por salário, deveria aprender mais sobre esse negócio de plantar e colher. Então entenderia por que ninguém pode ficar plantando serviço inadequado e colhendo pagamento integral. Você saberia que é preciso interromper o hábito de exigir o pagamento de um dia inteiro de trabalho por um dia de trabalho ruim.

E você que não é assalariado, mas quer ter mais das coisas boas da vida, vamos conversar. Por que não fica esperto e começa a conseguir o que quer do jeito mais fácil e garantido? Sim, tem um jeito fácil e garantido de se obter tudo o que se quer da vida, e o segredo é revelado a todos que adquirem o hábito de fazer um esforço extra. O segredo não pode ser revelado de nenhum outro jeito, porque está empacotado no esforço extra.

O pote de ouro no fim do arco-íris não é um mero conto de fadas. O esforço extra leva ao fim do arco-íris, ao pote de ouro escondido. Pouca gente encontra o fim do arco-íris. Quando o indivíduo chega ao local onde acreditava que o arco-íris terminasse, descobre que ainda está longe. O problema é que a maioria não sabe seguir o arco-íris. Os que conhecem o segredo sabem que o fim do arco-íris só pode ser alcançado por quem faz um esforço extra.

Há uns 45 anos, em um fim de tarde, William C. Durant, fundador da General Motors, entrou no banco depois do fim do expediente e pediu um favor que, em circunstâncias comerciais normais, deveria ser pedido dentro do horário de atendimento. O funcionário que o atendeu era Carol Downes. Ele não só atendeu Durant com eficiência, com também fez um esforço extra e adicionou cortesia ao serviço. Fez Durant sentir que era um verdadeiro prazer atendê-lo. O incidente pareceu corriqueiro e de pouca importância. Sem que Downes soubesse, a cortesia teria repercussões de longo alcance.

No dia seguinte, Durant chamou Downes a seu escritório. Na visita, Durant ofereceu um cargo que Downes aceitou. Deram-lhe uma mesa no escritório central, onde quase uma centena de pessoas trabalhavam, e informaram que o expediente ia das 8h30 às 17h30. O salário inicial era modesto.

No primeiro dia, quando a campainha anunciou o fim do expediente, Downes percebeu que todo mundo pegou o casaco e o chapéu e correu para a porta. Ele continuou sentado, esperando os outros saírem do escritório. Depois que todos foram embora, ele continuou sentado atrás da mesa, pensando sobre qual seria a causa da grande pressa que todos haviam demonstrado para sair no instante em que a campainha soou.

Quinze minutos depois, Durant abriu a porta de sua sala, viu Downes ainda em seu lugar e perguntou se ele tinha entendido que era seu direito parar de trabalhar às 17h30. "Ah, sim", respondeu Downes, "mas não quis ser atropelado na correria." Então perguntou se Durant precisava de alguma coisa. O magnata da indústria automobilística pediu um lápis. Downes providenciou o lápis, o apontou e o levou para Durant. Este agradeceu e deu boa-noite.

No dia seguinte, na hora de ir embora, Downes de novo permaneceu em sua mesa após a "correria". Dessa vez, esperou com um propósito premeditado. Pouco depois, Durant saiu de sua sala e perguntou novamente se Downes não tinha entendido que o expediente terminava às 17h30. "Sim." Downes sorriu. "Entendo que essa é a hora de os outros irem embora, mas não ouvi ninguém dizer que tenho que sair do escritório quando o expediente acaba, então fico aqui na esperança de poder ser útil ao senhor de alguma forma."

"Que esperança incomum", exclamou Durant. "De onde tirou essa ideia?" "Da cena que vejo aqui todos os dias no fim do expediente", respondeu Downes. Durant resmungou uma resposta que Downes não ouviu direito e voltou para sua sala.

Daquele dia em diante, Downes sempre permaneceu em sua mesa depois do expediente até ver Durant ir embora. Ele não era pago para ficar depois do horário. Ninguém lhe disse para fazer isso. Ninguém prometeu nada por isso. Do ponto de vista do observador comum, Downes estava ali perdendo tempo.

Vários meses depois, Downes foi chamado à sala de Durant e informado de que tinha sido escolhido para supervisionar a instalação do maquinário em uma nova fábrica comprada recentemente. Imagine! Um ex-funcionário de banco se tornando especialista em maquinário em poucos meses. Downes aceitou a missão sem hesitar e se retirou. Não disse "Ora, senhor Durant, não sei nada sobre instalação de máquinas". Não disse "Isso não é minha função", ou "não sou pago para cuidar da instalação de máquinas". Não, ele foi trabalhar e fez o que haviam solicitado. Mais ainda, encarou o serviço com uma atitude mental agradável.

Três meses depois, a tarefa foi concluída. E foi tão bem feita que Durant chamou Downes ao seu escritório e perguntou onde havia aprendido sobre máquinas. "Ah", explicou Downes, "não aprendi, senhor Durant. Só olhei em volta, encontrei homens que sabiam como fazer o serviço, coloquei-os para trabalhar, e eles fizeram."

"Esplêndido", exclamou Durant. "Há dois tipos de homens valiosos. Um é aquele que sabe fazer alguma coisa e faz bem, sem reclamar por estar sobrecarregado. O outro é aquele que consegue fazer outras pessoas fazerem as coisas direito, sem reclamar. Você é os dois em um." Downes agradeceu o elogio e virou para sair. "Espere um momento", pediu Durant. "Esqueci de dizer que você é o novo gerente da fábrica cujas máquinas instalou, e seu salário inicial é de US$ 50 mil por ano."

Os dez anos seguintes de associação com Durant valeram entre US$ 10 e US$ 12 milhões para Carol Downes. Ele se tornou conselheiro do rei da indústria automobilística e, como resultado, ficou rico.

O principal problema de muita gente é olhar para aqueles que "chegaram lá" e avaliá-los na hora do triunfo, sem se dedicar a descobrir como ou por que "chegaram lá".

Não há nada de muito dramático na história de Carol Downes. Os incidentes mencionados ocorreram na atividade diária, sem que as pessoas comuns que trabalhavam com Downes sequer percebessem. E não duvidamos de que muitos daqueles colegas o invejassem por acreditar que havia sido favorecido por Durant por algum tipo de vantagem ou sorte, ou seja lá qual for a desculpa que quem não alcança o sucesso usa para explicar sua falta de progresso.

Bem, para ser honesto, Downes levou mesmo vantagem com Durant. Ele criou essa vantagem por iniciativa própria, fazendo um esforço extra em uma coisa tão trivial quanto apontar um lápis quando a solicitação era apenas um lápis. Ele a criou ficando em sua mesa com a esperança de poder ser útil ao seu empregador depois da correria diária das 17h30. Ele a criou usando seu direito de iniciativa pessoal ao encontrar homens que entendiam como instalar máquinas em vez de perguntar a Durant como e onde poderia encontrar esse pessoal.

Siga esses incidentes passo a passo e você vai descobrir que o sucesso de Downes foi resultado unicamente de sua iniciativa. Mais ainda, a história se resume a uma série de pequenas tarefas bem executadas com a atitude mental correta. Talvez houvesse uma centena de outros homens trabalhando para Durant que poderiam ter se saído tão bem quanto Downes, mas o problema era que eles estavam procurando o fim do arco-íris fugindo dele às pressas todos os dias às 17h30.

Muitos anos depois, um amigo perguntou a Carol Downes como ele teve sua oportunidade com Durant. "Ah", respondeu Downes com modéstia, "só me esforcei para ficar no caminho dele, para ele me enxergar. Quando olhava em volta procurando alguém para algum servicinho, ele me via, porque eu era o único à vista. Com o tempo, ele desenvolveu o hábito de me chamar."

Aí está! Durant desenvolveu o hábito de chamar Downes. Além disso, descobriu que Downes podia assumir responsabilidades e as assumia fazendo um esforço extra. É uma pena que nem todos absorvam algo desse espírito de assumir responsabilidades maiores. É uma pena que muitos não comecem falando mais de seus privilégios no estilo de vida americano e menos da falta de oportunidades.

Existe alguém que seja capaz de afirmar com seriedade que Carol Downes teria se dado melhor caso fosse forçado por lei a se juntar à louca correria e sair do trabalho às 17h30? Se tivesse feito isso, teria recebido o salário padrão para o tipo de função que desempenhava e nada além disso. Por que receberia mais?

O destino estava em suas mãos. Estava empacotado no único privilégio que deveria ser de todo cidadão: o direito à iniciativa pessoal, por cujo exercício Downes adquiriu o hábito de sempre fazer um esforço extra. Isso conta toda a história. Não há outro segredo para o sucesso de Downes. Ele reconhece isso, e todos que conhecem as circunstâncias de sua ascensão da pobreza à riqueza sabem disso.

Tem uma coisa que ninguém parece saber. Por que há tão poucos indivíduos que, como Carol Downes, descobrem o poder implícito em fazer mais do que aquilo pelo que se é pago? Isso contém a semente de toda grande realização. É o segredo de todo sucesso digno de nota, mas é tão pouco compreendido que a maioria das pessoas considera esse hábito um truque astuto que os empregadores usam para fazer seus empregados trabalharem mais.

Logo depois do fim da Guerra Hispano-Americana, Elbert Hubbard escreveu uma história cujo título era *Mensagem a Garcia*. Ele relatou brevemente como o presidente William McKinley encarregou um jovem soldado chamado Rowan de levar uma mensagem do governo dos Estados Unidos para Garcia, o chefe dos rebeldes, cujo paradeiro exato era desconhecido. O jovem soldado pegou a mensagem, atravessou a vastidão da selva cubana, finalmente encontrou Garcia e entregou o bilhete. E isso é tudo, é toda a história – apenas um soldado cumprindo ordens em meio a dificuldades, cumprindo a missão sem voltar com uma desculpa.

A história inflamou imaginações e se espalhou pelo mundo. O simples ato de um homem fazendo o que foi mandado, e fazendo bem. Tornou-se uma notícia de primeira grandeza. *Mensagem a Garcia* foi impresso em brochura, e as vendas bateram o recorde para esse tipo de publicação, ultrapassando dez milhões de cópias. A história tornou Elbert Hubbard famoso, sem falar que ajudou a enriquecê-lo.

A narrativa foi traduzida para vários idiomas. O governo japonês a imprimiu e distribuiu para os soldados durante a guerra com a Rússia. A Pennsylvania Railroad Company deu uma cópia de presente a cada um de seus milhares de empregados. As grandes companhias de seguros de vida da América presentearam seus vendedores com ela. Muito tempo depois de Elbert Hubbard sucumbir no naufrágio do *Lusitania*, em 1915, *Mensagem a Garcia* continuava um *best-seller* na América.

A história tornou-se popular porque contém algo do poder mágico que pertence a quem faz alguma coisa, e faz bem. O mundo inteiro clama por essas pessoas. Elas são necessárias e desejadas em todas as esferas da vida. A indústria americana sempre teve berços principescos para pessoas que são capazes de assumir e assumem responsabilidades e que fazem o trabalho com a atitude mental correta, fazendo um esforço extra.

Andrew Carnegie alçou não menos que quarenta desses homens da posição inferior de trabalhadores diaristas à de milionários. Ele entendia o valor de quem se dispõe a fazer um esforço extra. Sempre que encontrava um desses homens, levava a "descoberta" para seu círculo mais próximo nos negócios e lhe dava uma oportunidade de ganhar tudo o que merecia.

As pessoas fazem ou deixam de fazer coisas por um motivo. O mais sólido dos motivos para fazer um esforço extra é que rende dividendos duradouros, de maneiras numerosas demais para serem mencionadas, a todos que seguem o hábito.

Ninguém jamais se tornou conhecido por alcançar sucesso permanente sem fazer mais do que aquilo pelo que era pago. A prática tem sua contraparte nas leis da natureza. É amparada por uma ampla gama de evidências de sua solidez. É baseada no senso comum e na justiça. O melhor de todos os métodos para testar a solidez desse princípio é colocá-lo em prática como parte de seus hábitos diários. Algumas verdades só podem ser aprendidas pela experiência.

Americanos querem maiores parcelas individuais dos vastos recursos deste país. É um desejo saudável. A riqueza aqui existe em abundância, mas vamos abandonar a tentativa tola de obtê-la do jeito errado. Vamos conquistar nossa riqueza dando algo de valor em troca. Conhecemos as regras pelas quais se pode alcançar o sucesso. Vamos nos apoderar dessas regras e usá-las com inteligência, adquirindo assim as riquezas pessoais que queremos e também contribuindo para a riqueza da nação.

O caso do empregador ganancioso

Alguns dirão: "Já estou fazendo mais do que aquilo pelo que sou pago, mas meu empregador é tão egoísta e ganancioso que não reconhece o tipo de serviço que estou prestando". Todos sabemos que existem homens gananciosos que querem mais serviço do que aquele pelo qual estão dispostos a pagar.

Empregadores egoístas são como pedaços de argila nas mãos de um ceramista. Por meio de sua ganância, podem ser induzidos a recompensar quem presta mais serviço do que é pago para prestar. Empregadores gananciosos não querem perder os serviços de alguém que tem o hábito de fazer um esforço extra. Eles conhecem o valor desses empregados. Aqui então está o pé de cabra e o fulcro com que os empregadores podem ser libertados de sua ganância. Qualquer pessoa esperta saberá como usar esse pé de cabra, não pela sonegação de qualidade ou quantidade do serviço que presta, mas por seu aumento.

O vendedor sagaz de serviços pessoais pode manipular um comprador ganancioso de seus serviços com a mesma facilidade com que uma mulher esperta influencia o homem de sua escolha. A técnica eficiente é semelhante àquela que as mulheres espertas usam para comandar os homens. O indivíduo sagaz vai se esforçar para ser indispensável ao empregador ganancioso fazendo mais e melhor trabalho do que qualquer outro empregado. Empregadores gananciosos vão dar "os olhos da cara" antes de abrir mão desse indivíduo. É assim que a suposta ganância de um empregador se torna um grande bem para quem segue o hábito de fazer um esforço extra.

Vimos essa técnica ser aplicada pelo menos cem vezes como forma de manipular empregadores gananciosos por meio de sua própria fraqueza. E nem uma vez a vimos falhar. Em algumas ocasiões, o empregador ganancioso falhou em agir com a velocidade esperada, mas o azar foi dele, porque o empregado chamou a atenção de um concorrente que fez uma oferta pelos serviços daquele indivíduo e o contratou.

Não há como enganar a pessoa que segue o hábito de fazer um esforço extra. Se ela não tem reconhecimento apropriado de uma fonte, este vem voluntariamente de outra, normalmente quando menos se espera. Se alguém faz mais do que aquilo pelo que é pago, o reconhecimento sempre vem.

Quem faz um esforço extra com o tipo certo de atitude mental nunca dedica tempo à procura de emprego. Não precisa, porque o emprego está sempre à sua procura. Depressões podem ir e vir, negócios podem ser bons ou ruins, o país pode estar em guerra ou em paz, mas quem presta mais e melhor serviço do que aquele pelo qual é pago se torna indispensável e, portanto, se garante contra o desemprego.

Salário alto e indispensabilidade são irmãos gêmeos. Sempre foram e sempre serão. A pessoa esperta o bastante para se tornar indispensável é esperta o bastante para se manter sempre empregada e com salários que nem o mais ganancioso líder sindical pleitearia.

Muita gente passa a vida à procura de "brechas", esperando que as oportunidades a alcancem, dependendo da sorte para suprir as necessidades, mas jamais avista seu objetivo, porque não tem um objetivo definido. Por causa disso, homens assim não têm motivo que os inspire a formar o hábito de fazer um esforço extra. Eles nunca reconhecem que

> A esperança mundana que os homens desejam
> Vira cinzas – ou prospera; e logo,
> Como neve sobre a face empoeirada do deserto
> Iluminando uma horinha ou duas, desaparece.

A pressa desses homens se torna perda, porque eles andam em círculos, como peixinhos em um aquário, voltando sempre ao ponto de partida, de mãos vazias e desapontados. Riquezas só podem ser alcançadas com compromisso, mediante escolha de um objetivo definido e um plano definido para alcançá-lo; também pela seleção de um ponto de partida definido de onde começar.

Mas que ninguém cometa o erro de presumir que o hábito de fazer um esforço extra recompense com riquezas materiais. O hábito com certeza ajuda o indivíduo a beber da fonte de riquezas espirituais e a recorrer a essa fonte para todas as necessidades humanas.

A reveladora história de Edward Choate

Alguns indivíduos espertos e outros sábios descobriram o caminho para as riquezas pela aplicação deliberada do princípio de fazer um esforço extra para obter ganho pecuniário. No entanto, os realmente sábios reconhecem que a maior compensação obtida com esse princípio vem na forma de amizades que duram por toda a vida, relações humanas harmoniosas, trabalho de amor, capacidade de entender as pessoas e disponibilidade para compartilhar bênçãos com outros, tudo isso parte das doze riquezas da vida.

Edward Choate reconheceu essa verdade e encontrou a chave mestra das riquezas. Sua casa fica em Los Angeles, Califórnia, e seu negócio é vender seguros de vida. No começo da carreira como vendedor de apólices, Choate levava uma vida modesta; era esforçado, mas não quebrava recordes na atividade. Por causa de um infeliz empreendimento, perdeu todo o dinheiro que tinha e se viu no chão, forçado a recomeçar.

Eu disse "infeliz empreendimento", mas talvez devesse dizer "feliz empreendimento", porque a perda o influenciou a parar, olhar, ouvir, pensar e meditar sobre o destino dos homens, que parecia alçar alguns a elevados patamares de realização e condenar outros a derrotas temporárias ou fracasso permanente. Por intermédio dessas meditações, Choate se tornou um estudante da filosofia da realização individual. Quando chegou à lição sobre fazer um esforço extra, foi despertado por uma compreensão aguçada que nunca tivera e reconheceu que a perda de riquezas materiais pode levar o indivíduo à fonte de riquezas maiores, que são suas forças espirituais.

Com a descoberta, Choate começou a se apropriar das doze riquezas da vida, uma por uma, começando pelo topo da lista, com o desenvolvimento de atitude mental positiva. Por um tempo, deixou de pensar em quantas apólices poderia vender e foi procurar oportunidades para ser útil aos outros, pessoas sobrecarregadas com problemas que não conseguiam resolver.

A primeira oportunidade surgiu quando Choate encontrou no deserto da Califórnia um rapaz que havia se dado mal em um empreendimento de mineração e se via às portas da fome. Choate levou o rapaz para sua casa, o alimentou, incentivou e manteve lá até o jovem encontrar um bom emprego. Colocando-se assim no papel de bom samaritano, Choate não pensava em ganho pecuniário, porque era óbvio que um garoto miserável e arruinado talvez nunca se tornasse um possível comprador de seguro de vida.

Depois, outras oportunidades de ajudar os menos favorecidos começaram a se revelar tão rapidamente que foi como se Choate tivesse se tornado um ímã que atraía apenas quem tinha problemas difíceis para resolver. Mas as aparências enganam, e ele estava só passando por um período de teste que poderia servir para ele demonstrar sua sinceridade de propósito em ajudar os outros. Um período, não vamos esquecer, que todos que aplicam o princípio de fazer um esforço extra precisam vivenciar de um jeito ou de outro.

Então o cenário mudou, e os assuntos de Edward Choate começaram a tomar um rumo que ele provavelmente não esperava. As vendas de seguro de vida começaram a aumentar e aumentar, até atingirem um nível a que nunca tinham chegado. E, milagre dos milagres, uma das maiores apólices que Choate havia registrado até então foi vendida para o empregador daquele jovem que ele havia encontrado no deserto e de quem se tornara amigo. A venda foi feita sem a solicitação de Choate. Outras vendas começaram a surgir do mesmo jeito, até ele vender mais apólices sem grande esforço do que vendia com trabalho duro.

Além disso, Choate entrou no campo de vendas de apólices de grandes valores. Homens de grandes responsabilidades e vultosas transações financeiras começaram a procurá-lo para pedir conselhos sobre problemas com o seguro de vida.

Os negócios cresceram até levar Choate ao objetivo cobiçado por todos os corretores de seguro de vida – associação vitalícia na Mesa-Redonda de US$ 1 Milhão. Tal distinção só é alcançada por quem vende no mínimo US$ 1 milhão anuais em seguros por três anos consecutivos.

Assim, ao procurar riquezas espirituais, Edward Choate também encontrou riquezas materiais – e em maior abundância do que havia antecipado. Seis anos depois de ter se colocado no papel do bom samaritano, Choate emitiu mais de US$ 2 milhões em seguro de vida nos primeiros quatro meses do ano.

A história das realizações de Choate começou a se espalhar pelo país. Ele começou a receber convites para falar em convenções do ramo, porque outros vendedores de seguros de vida queriam saber como Choate havia conseguido se elevar a tão invejável posição naquela profissão. Ele contou! E, contrariando a prática habitual entre homens que alcançam sucesso e ocupam as mais altas esferas de realização, revelou a humildade pela qual é inspirado, admitindo com franqueza que suas realizações eram resultado da aplicação da filosofia de outras pessoas.

O homem comum bem-sucedido é propenso a tentar transmitir a impressão de que seu sucesso é resultado de esperteza ou sabedoria, mas muito raramente concede o crédito a seus benfeitores. Que pena não haver mais gente como Edward Choate no mundo, porque é evidente a todos que pensam com precisão que ninguém jamais atinge um alto grau de sucesso duradouro sem a cooperação amistosa de outros e ninguém jamais alcança sucesso duradouro sem ajudar outros.

Edward Choate é tão rico em valores materiais quanto precisa. E é muito mais rico em valores espirituais, porque descobriu, se apropriou e fez uso inteligente de todas as doze riquezas da vida, das quais o dinheiro é a última e a menos importante.

Capítulo 6

MASTERMIND

Definição: *uma aliança de duas ou mais mentes em um espírito de perfeita harmonia e cooperação para a realização de um objetivo definido.*

Preste muita atenção à definição desse princípio, porque ela traz um significado que fornece a chave para a conquista de grande poder pessoal. O MasterMind é a base de todas as grandes realizações, a pedra fundamental de maior importância em todo progresso humano, seja individual, seja coletivo.

A chave para esse poder pode ser encontrada na palavra "harmonia". Sem esse elemento, esforço coletivo pode ser cooperação, mas não terá o poder que a harmonia proporciona por meio da coordenação de esforço.

Os aspectos mais importantes do MasterMind são:

Premissa 1: O MasterMind é o meio pelo qual cada um pode garantir o pleno benefício da experiência, treinamento, educação, conhecimento especializado e habilidade inata de outras pessoas, tão completamente quanto se a mente destas fosse sua.

Premissa 2: Uma aliança de duas ou mais mentes em espírito de perfeita harmonia para a realização de um objetivo definido estimula cada mente individual com um alto grau de inspiração e pode se tornar o estado mental conhecido como fé. (Uma ligeira ideia dessa estimulação e de seu poder é experimentada nas amizades próximas e relacionamentos amorosos.)

Premissa 3: Cada cérebro humano é tanto uma estação transmissora quanto uma estação receptora para a expressão de vibrações de pensamento, e o efeito estimulante do MasterMind incentiva a ação do pensamento, por meio do que é normalmente conhecido como telepatia, operando como o sexto sentido. Dessa maneira, muitas alianças comerciais e profissionais são traduzidas em realidade, e poucas vezes alguém já atingiu uma posição elevada ou poder duradouro sem a aplicação do MasterMind, com o qual garantiu o benefício de outras mentes. Esse fato em si é evidência suficiente da solidez e da importância do princípio do MasterMind, e é um fato que qualquer um pode verificar sem esforço excessivo de sua capacidade de observação ou credulidade.

Premissa 4: Quando aplicado ativamente, o MasterMind tem o efeito de conectar o indivíduo com a própria mente subconsciente e a mente subconsciente de seus aliados, um fato que pode explicar muitos dos resultados aparentemente milagrosos obtidos pela aliança de MasterMind.

Premissa 5: Os relacionamentos humanos mais importantes nos quais é possível a aplicação benéfica do MasterMind são (a) casamento, (b) religião, (c) ocupação, profissão ou vocação.

O MasterMind tornou possível a Thomas A. Edison ser um grande inventor, apesar da falta de educação formal e de conhecimento das ciências com que tinha que trabalhar, o que oferece esperança a todos que erroneamente se consideram seriamente prejudicados pela falta de educação formal.

Com a ajuda do MasterMind, pode-se entender a história e a estrutura do planeta em que vivemos por meio do conhecimento de competentes geólogos. Mediante o conhecimento e a experiência do químico, é possível fazer uso prático da química sem ser um químico treinado. Com a ajuda de cientistas, técnicos, físicos e mecânicos práticos, é possível se tornar um inventor bem-sucedido sem treinamento pessoal em nenhum desses campos.

Existem dois tipos gerais de alianças MasterMind, a saber:

- Alianças por razões puramente sociais ou pessoais com parentes, conselheiros religiosos e amigos, nas quais não se busca ganho material ou alcançar objetivos. A mais importante é a aliança entre cônjuges.
- Alianças para avanço comercial, profissional e econômico formadas por dois indivíduos que têm um motivo pessoal relacionado ao objetivo da aliança.

Agora vamos considerar alguns dos exemplos mais importantes de poder obtido pela aplicação do MasterMind.

A forma americana de governo, como originalmente descrita na Constituição dos Estados Unidos, deve ser a primeira a ser analisada, porque é uma forma de poder que afeta de maneira vital todo cidadão do nosso país e em grande medida o mundo todo. Nosso país é reconhecido por três fatos óbvios: (1) é o mais rico do mundo, (2) é o mais poderoso do mundo, (3) garante a seus cidadãos mais liberdade pessoal do que qualquer outra nação. Riquezas, liberdade e poder. Que combinação fascinante de realidades.

A origem desses benefícios não é difícil de determinar, pois está no centro da Constituição do nosso país e no sistema americano da livre-iniciativa, tendo ambos sido tão harmoniosamente coordenados que asseguraram ao povo poder espiritual e econômico como o mundo jamais testemunhou antes. Nossa forma de governo é uma estupenda aliança de MasterMind composta pelo relacionamento harmonioso de todo o povo da nação, funcionando em cinquenta grupos distintos conhecidos como estados.

O centro do MasterMind americano é fácil de discernir ao desmontarmos nossa forma de governo e examinarmos suas partes, todas sob o controle direto da maioria do povo. Essas partes são (1) o Poder Executivo, mantido pelo presidente, (2) o Poder Judiciário, mantido pela Suprema Corte, e (3) o Poder Legislativo, mantido pelas duas casas do Congresso.

Nossa Constituição foi construída com tanta sabedoria que o poder por trás dos três braços do governo está nas mãos do povo. É um poder do qual o povo não pode ser privado exceto pela própria negligência em usá-lo.

Nosso poder político se expressa pelo governo. Nosso poder econômico é mantido e expresso pelo sistema de livre-iniciativa. A soma desses poderes é sempre exatamente proporcional ao grau de harmonia com que ambos são coordenados. O poder assim alcançado é propriedade de todo o povo. É esse poder que garante ao povo o mais elevado padrão de vida que a civilização desenvolveu até agora e que fez da nossa nação a mais rica, mais livre e mais poderosa do mundo.

Chamamos esse poder de estilo de vida americano. Esse estilo de vida e nosso desejo de mantê-lo promoveram a consolidação de nossas forças, tanto econômicas quanto espirituais, em uma guerra que ameaçou a destruição da civilização e do nosso estilo de vida. O futuro da humanidade pode ter sido determinado pela aplicação do MasterMind americano, porque é óbvio que foi nosso poder que virou a onda da guerra a favor da liberdade de toda a humanidade.

Um exemplo de MasterMind aplicado à indústria pode ser encontrado nos grandes sistemas americanos de transporte e comunicações. Os indivíduos que administram nossas ferrovias e nossas linhas aéreas, nossos sistemas de telefonia e telégrafo, estabeleceram um serviço nunca igualado em nenhum outro país. Sua eficiência e o poder resultante residem inteiramente na aplicação do princípio do MasterMind de coordenação harmoniosa de esforços.

Outro exemplo de poder alcançado pelo MasterMind pode ser encontrado na observação do relacionamento entre nossas forças militares – Exército, Marinha e Aeronáutica. Ali, como em qualquer outro lugar, a pedra angular para o arco do nosso poder tem sido a coordenação harmoniosa de esforços.

O time de futebol moderno é um excelente exemplo de poder obtido por harmonia de esforços. O grande sistema mercantil americano de cadeia de lojas é outro exemplo de poder econômico alcançado pelo MasterMind. Toda indústria bem-sucedida é resultado da aplicação do MasterMind. O sistema americano da livre-iniciativa em sua totalidade é uma maravilhosa ilustração do poder econômico produzido pela coordenação amigável e harmoniosa de esforços.

O princípio do MasterMind não é propriedade exclusiva dos ricos e poderosos, mas é o meio da maior importância para se alcançar os fins desejados. A pessoa mais humilde pode se beneficiar desse princípio formando uma aliança harmoniosa com quem escolher.

A mais profunda e talvez a mais benéfica aplicação desse princípio que qualquer pessoa pode fazer é o MasterMind no casamento, desde que o motivo por trás dessa aliança seja o amor. Esse tipo de aliança não só coordena a mente dos cônjuges, como também une as qualidades espirituais de suas almas. Os benefícios dessa aliança não só trazem alegria e felicidade para o casal, como também abençoam seus filhos com caráter sólido e os equipam com o que é fundamental para uma vida bem-sucedida.

Você tem agora uma interpretação compreensível da maior fonte de poder pessoal conhecida pela humanidade – o MasterMind. A responsabilidade pelo uso correto é sua. Use-o bem e você será abençoado com o privilégio de ocupar grande espaço no mundo – espaço que pode ser avaliado geograficamente e nas relações humanas amigáveis e cooperativas.

Não tenha medo de desejar grande quando estabelecer seu objetivo. Lembre-se de que você vive em uma terra de oportunidades onde ninguém é limitado na qualidade, quantidade ou natureza das riquezas que pode adquirir, desde que esteja disposto a dar valor adequado em troca.

Antes de estabelecer seu objetivo na vida, memorize as linhas a seguir e leve a sério a lição que elas ensinam.

Negociei com a vida por um centavo,
E a vida mais não quis pagar,
Por mais que eu suplicasse à noite
Quando meus parcos lucros ia contar

Porque a vida é só um empregador,
Dá aquilo que você pede,
Mas depois que seu salário foi fixado,
Bem, você tem que cumprir o combinado.

Trabalhei por um valor mínimo
Só para descobrir, com desalento,
Que qualquer salário que eu tivesse pedido à vida,
A vida me teria dado em pagamento.

Pessoas bem-sucedidas não negociam com a vida em troca de pobreza. Elas sabem que existe um poder pelo qual a vida pode ser induzida a pagar nos termos dela. Sabem que esse poder está disponível a todos que se apoderarem da chave mestra das riquezas. Conhecem-no por um nome, uma palavra, a maior palavra de sua língua. A palavra é conhecida por todos, mas os segredos de seu poder são entendidos por poucos.

Capítulo 7

ANÁLISE DO PRINCÍPIO DO MASTERMIND

Quando fui convidado por Andrew Carnegie para organizar a filosofia da realização individual, pedi-lhe para descrever o princípio do MasterMind de forma a permitir que outras pessoas se apropriassem dele e o usassem para alcançar seu objetivo principal definido. Falei: "O senhor poderia definir o princípio do MasterMind de modo que possa ser aplicado pelos esforços individuais de homens e mulheres em busca de um lugar no grande estilo de vida americano? Descreva, por favor, as várias formas possíveis de aplicação desse princípio pelo indivíduo de capacidade mediana em seus esforços diários para obter o máximo proveito de suas oportunidades neste país".

Esta foi a resposta:

> Os privilégios disponíveis para o povo americano têm por trás deles uma fonte de grande poder. Mas privilégios não brotam do nada como cogumelos. Precisam ser criados e mantidos pela aplicação do poder.
>
> Os fundadores de nossa forma americana de governo, por sua previdência e sabedoria, construíram a base de nossa forma americana de liberdade e riquezas. Mas só deixaram a base. A responsabilidade

de aceitar e usar essa base deve ser assumida por cada pessoa que reclama qualquer porção dessa liberdade e riqueza.

Vou descrever alguns usos individuais do MasterMind e como ele pode ser aplicado no desenvolvimento de vários relacionamentos humanos que podem contribuir para a realização do objetivo principal definido do indivíduo. Todavia, quero enfatizar que a realização do objetivo principal definido só pode ser obtida por uma série de passos; cada pensamento que uma pessoa tem, cada transação em que se envolve no relacionamento com outras, cada plano que cria, cada engano que comete, tudo tem participação vital em sua habilidade para alcançar o objetivo escolhido.

A mera escolha de um objetivo principal definido, mesmo que escrito em linguagem clara e totalmente fixado na mente, não assegura a realização bem-sucedida. O objetivo principal deve ser respaldado e acompanhado por esforço contínuo, cuja parte mais importante é o tipo de relacionamento que se mantém com outras pessoas.

Com essa verdade bem fixada na mente, não será difícil entender o quanto é necessário ter cuidado ao escolher associados, especialmente aqueles com quem se mantém contato pessoal próximo relacionado à ocupação.

Aqui estão algumas fontes de relacionamento que o indivíduo com um objetivo principal definido deve cultivar, organizar e usar em seu progresso rumo à realização da meta escolhida:

Ocupação

Com exceção do casamento (o mais importante de todos os relacionamentos de MasterMind), não existe outra forma de relação tão importante quanto a que existe entre um indivíduo e aqueles com quem ele trabalha na ocupação que escolheu. Toda pessoa tende a adotar maneirismos, crenças, atitudes mentais, pontos de vista políticos e econômicos, bem como outras características dos indivíduos mais eloquentes com quem se associa em seu trabalho diário.

A principal tragédia dessa tendência é que nem sempre o mais eloquente entre os associados diários é o pensador mais razoável; com muita frequência é um homem com uma queixa que tem prazer em manifestar entre os colegas de trabalho. Além disso, o homem mais eloquente é um indivíduo que não tem objetivo principal definido próprio. Portanto, dedica boa parte de seu tempo à tentativa de diminuir quem tem esse objetivo.

Pessoas de personalidade sólida, que sabem exatamente o que querem, normalmente têm a sabedoria de guardar suas opiniões para si e raramente perdem tempo tentando desestimular os outros. Estão tão ocupadas com a promoção do próprio objetivo que não têm tempo a perder com ninguém ou nada que não contribua de algum jeito para seu benefício.

Percebendo que é possível encontrar, em quase todos os grupos de associados, alguém cuja influência e cooperação pode ser útil, a pessoa de discriminação aguçada, que tem um objetivo principal definido que quer alcançar, provará sua sabedoria formando amizade com aqueles que podem ser e que estão dispostos a se tornar mutualmente benéficos. Os outros ela evitará com muito tato.

Naturalmente, tal pessoa buscará alianças mais próximas com aquelas em quem reconhece traços de caráter, conhecimento e personalidade que podem se tornar úteis, e é claro que não vai ignorar os que estão em posições superiores à dela, atenta ao dia em que poderá não só se equiparar a esses indivíduos, mas também superá-los, sempre lembrando as palavras de Abraham Lincoln: "Vou estudar e me preparar, e um dia minha chance vai chegar".

O indivíduo com um objetivo principal definido construtivo nunca invejará seus superiores, mas estudará seus métodos e aprenderá a adquirir o conhecimento que eles têm. Você pode considerar uma profecia: o homem que passa seu tempo procurando defeitos em seus superiores nunca se tornará um líder bem-sucedido.

Os maiores soldados são aqueles que acatam e cumprem as ordens de seus superiores. Os que não conseguem ou se recusam nunca serão líderes bem-sucedidos em operações militares. A mesma regra vale para qualquer um em outras esferas da vida. Se alguém deixa de emular quem está acima dele com uma disposição de harmonia, nunca terá grandes benefícios dessa associação.

Pelo menos cem homens progrediram na hierarquia em minha organização e se descobriram mais ricos do que precisam ser. Não foram promovidos por falhas de caráter ou pelo hábito de encontrar defeitos naqueles acima ou abaixo deles, mas por se apropriar e fazer uso prático da experiência de todos com quem entraram em contato.

O indivíduo com um objetivo principal definido faz uma avaliação cuidadosa de toda pessoa com quem entra em contato no trabalho diário e considera cada uma delas uma possível fonte de conhecimento útil ou influência que pode usar para a própria promoção. Se alguém olha em volta com inteligência, descobre que seu local de trabalho diário é literalmente uma sala de aula onde pode adquirir a maior de todas as educações – aquela que vem de observação e experiência.

"Como se pode tirar o máximo desse tipo de educação?", perguntarão alguns. A resposta pode ser encontrada no estudo dos nove motivos básicos que movem os seres humanos à ação voluntária. Os homens emprestam sua experiência e seu conhecimento e cooperam com outros porque têm um motivo suficiente que os leva a querer agir assim. Quem se relaciona com seus associados diários de forma amigável, cooperativa, com o tipo certo de atitude mental em relação a eles, tem mais chance de aprender com eles do que o homem beligerante, irritável, grosseiro ou negligente com as pequenas amenidades e cortesias que existem entre todos os povos civilizados. O velho ditado "Pegam-se mais moscas com mel do que com sal" deve ser lembrado pelo indivíduo que deseja aprender com os associados diários que sabem mais que ele sobre muitas coisas e cuja necessária cooperação ele busca.

Educação

A educação nunca chega ao fim. A pessoa com um objetivo principal definido de proporções notáveis deve permanecer estudante para sempre e aprender de todas as fontes possíveis, especialmente das que pode extrair conhecimento especializado e experiência relacionada ao objetivo.

As bibliotecas públicas são gratuitas. Oferecem grande variedade de conhecimento organizado sobre todos os assuntos. Transmitem, em todos os idiomas, a soma do conhecimento da humanidade sobre todos os assuntos. A pessoa bem-sucedida com um objetivo principal definido toma para si a responsabilidade de ler livros relacionados ao objetivo e assim adquirir o importante conhecimento proveniente da experiência dos que a precederam. Já foi dito que um indivíduo não pode se considerar nem sequer um aluno de jardim da infância em qualquer tema até se apoderar, tanto quanto razoavelmente possível, de todo o conhecimento preservado para ele sobre tal assunto pela experiência de terceiros.

O programa de leitura deve ser planejando com o mesmo cuidado que a dieta diária, porque leitura também é alimento, e sem ela não é possível crescer mentalmente. Quem passa todo o tempo livre lendo publicações cômicas e revistas de sexo não está se encaminhando para nenhuma grande realização. O mesmo se pode dizer de quem não inclui em seu programa diário alguma forma de leitura que forneça o conhecimento que pode usar para a realização do objetivo principal. Leitura aleatória pode ser agradável, mas raramente é útil no que se refere à ocupação do indivíduo.

Leitura, porém, não é a única fonte de educação. Por uma escolha cuidadosa entre os associados diários no trabalho, é possível se aliar a pessoas com as quais se pode adquirir uma educação liberal por meio de conversas triviais.

Clubes comerciais e profissionais oferecem oportunidades para a formação de alianças de grande benefício educacional, desde que se escolham clubes e associados próximos nesses clubes com o objetivo definido em mente. Por meio desse tipo de associação, muita gente forma relações comerciais e sociais de grande valor para a realização de seu objetivo principal.

Ninguém pode ter sucesso na vida sem o hábito de cultivar amizades. A palavra "contato", como é comumente usada em relação a ligações pessoais, é importante. Se o indivíduo torna parte de sua prática diária ampliar sua lista de contatos pessoais, descobre que o hábito é de grande benefício de maneiras que não podem ser antecipadas enquanto cultiva os relacionamentos, mas vai chegar o tempo em que aquelas pessoas estarão prontas e dispostas a ajudá-lo, caso ele tenha feito um bom trabalho de divulgação pessoal.

Como afirmei, a pessoa com um objetivo principal definido deve formar o hábito de estabelecer contatos por meio de todas as fontes possíveis, tendo o cuidado, é claro, de escolher fontes pelas quais seja mais provável conhecer pessoas que lhe possam ser úteis. A igreja está entre as fontes mais desejáveis para se conhecer e cultivar pessoas, porque as une em circunstâncias que inspiram o espírito de parceria.

Toda pessoa precisa de alguma fonte pela qual possa se associar com seus vizinhos em circunstâncias que permitam a troca de pensamentos pelo bem da compreensão mútua e da amizade, sem levar em conta todas as considerações de ganho pecuniário. O homem que se fecha na própria concha se torna um introvertido confirmado e logo fica egoísta e limitado em suas visões de vida.

Política

É dever e privilégio do cidadão se interessar por política e consequentemente exercitar seu direito de ajudar com seu voto a colocar homens e mulheres de valor no serviço público. O partido político a que se pertence é muito menos importante que exercitar o privilégio do voto. Se a política é maculada por práticas desonestas, não há outro culpado senão o povo, que tem em seu poder manter fora do governo pessoas desonestas, indignas e ineficientes.

Além do privilégio de votar e o dever que ele implica, não se deve ignorar os benefícios que podem ser adquiridos mediante interesse ativo em política, por intermédio de contatos e alianças com pessoas que podem se tornar úteis na realização de seu objetivo principal definido. Em muitas ocupações, profissões e negócios, a influência política se torna um fator importante e decisivo na promoção dos interesses do indivíduo. Homens e mulheres de negócios e profissionais liberais com certeza não devem negligenciar a possibilidade de promover seus interesses por alianças políticas ativas.

O indivíduo atento, que entende a necessidade de buscar, em todas as direções possíveis, aliados amigáveis que possam ser úteis para a realização de seu objetivo principal na vida, faz pleno uso do privilégio de votar. Mas a principal razão para todo cidadão ter interesse ativo em política e a que enfatizo sobre todas as outras é que, se o melhor tipo de cidadão deixa de exercer seu direito ao voto, a política se desintegra e se transforma em um mal que destrói a nação.

Os fundadores desta nação dedicaram sua vida e fortuna para garantir a todas as pessoas o privilégio da liberdade na busca de seu objetivo de vida. E o principal desses privilégios é ajudar pelo voto a manter a instituição de governo que os fundadores da nação estabeleceram para proteger esses privilégios.

Tudo o que vale a pena tem um preço definido. Você quer liberdade pessoal e individual. Muito bem, você pode proteger esse direito formando uma aliança de MasterMind com outras pessoas honestas e patrióticas e tomando para si a responsabilidade de eleger nomes honestos para o serviço público. Não é exagero afirmar que essa bem pode ser a mais importante aliança de MasterMind que qualquer cidadão pode fazer.

Seus antepassados garantiram sua liberdade pessoal mediante o voto deles. Você não deve fazer menos por seus descendentes e pelas gerações que virão depois deles.

Todo cidadão honesto tem influência suficiente sobre vizinhos e associados com quem se relaciona diariamente no exercício de sua ocupação para induzir ao menos outras cinco pessoas a exercer seu direito de voto. Se deixar de exercitar essa influência, ele ainda pode ser um cidadão honesto, mas não pode se intitular um verdadeiro patriota, porque patriotismo tem um preço que consiste na obrigação de exercê-lo.

Alianças sociais

Esse é um campo fértil, quase ilimitado, para o cultivo de contatos amigáveis. Trata-se de algo particularmente disponível ao homem casado cuja esposa entende a arte de fazer amigos por intermédio de atividades sociais. Essa esposa pode transformar a casa e suas atividades sociais em um bem de valor inestimável para o marido, caso ele tenha uma ocupação que requeira a ampliação da lista de amigos. Muitos homens cuja ética profissional proíbe a propaganda ou autopromoção direta podem usar os privilégios sociais de maneira eficiente, desde que casados com mulheres propensas a essas atividades.

Um corretor de seguro de vida bem-sucedido vende mais de US$ 1 milhão por ano em apólices com a ajuda da esposa, que participa de vários clubes de mulheres de negócios. O papel da esposa é simples. Ela recebe as companheiras de clube em sua casa de vez em quando, junto com os maridos. Assim, o marido dela conhece os outros em circunstâncias amigáveis.

A esposa de um advogado recebeu os créditos por ajudá-lo a construir uma das firmas de advocacia mais lucrativas de uma cidade do Meio-Oeste simplesmente recebendo em casa, em suas atividades sociais, as esposas de empresários ricos. As possibilidades nesse sentido são infinitas.

Uma das principais vantagens das alianças amigáveis com pessoas de várias esferas da vida está na oportunidade que esses contatos oferecem para discussões do tipo mesa-redonda, que levam ao acúmulo de conhecimento que se pode usar na realização do objetivo principal definido. Se o indivíduo tem conhecidos numerosos e variados, eles podem se tornar uma valiosa fonte de informação sobre grande variedade de assuntos, levando a trocas intelectuais essenciais ao desenvolvimento de flexibilidade e versatilidade necessárias em muitas vocações.

Quando um grupo de pessoas se reúne em uma mesa-redonda sobre qualquer assunto, a expressão espontânea e a troca de pensamentos enriquecem a mente de todos os participantes. Todo indivíduo precisa reforçar seus planos e ideias com novos alimentos para o pensamento, que só pode adquirir em discussões francas e sinceras com pessoas cuja experiência e educação sejam diferentes das dele.

O escritor que se torna um "medalhão" e permanece nessa posição de destaque precisa alimentar continuamente seu estoque de conhecimento absorvendo pensamentos e ideias alheias por meio de contatos pessoais e leitura.

Para permanecer brilhante, alerta, receptiva e flexível, a mente precisa se alimentar constantemente do estoque de outras mentes. Se essa renovação não acontece, a mente atrofia como um braço que deixa de ser usado. Isso está de acordo com as leis da natureza. Estude o plano da natureza e você vai descobrir que todas as coisas vivas, desde o menor inseto até a máquina complexa que é o ser humano, crescem e permanecem saudáveis apenas pelo uso constante.

Discussões em mesa-redonda não só contribuem para o estoque de conhecimento útil, como também desenvolvem e expandem o poder da mente. A pessoa que para de estudar no dia em que conclui o ensino formal nunca se tornará uma pessoa educada, por mais conhecimento que adquira enquanto frequenta a escola.

A vida é uma grande escola, e tudo o que inspira pensamento é um professor. O sábio tem consciência disso; mais ainda, transforma em parte de sua rotina diária entrar em contato com outras mentes a fim de desenvolver a própria mente pela troca de pensamentos.

Vemos, portanto, que o princípio do MasterMind tem um escopo ilimitado de aplicação prática. É o meio pelo qual o indivíduo pode suplementar o poder da própria mente com conhecimento, experiência e atitude de outras mentes.

Um homem expressou essa ideia com grande habilidade: "Se eu lhe der um de meus dólares em troca de um de seus dólares, nenhum de nós terá mais do que aquilo que tinha no começo; porém, se eu lhe der um pensamento em troca de um dos seus pensamentos, cada um de nós recebe dividendos de 100% sobre o investimento de tempo".

Nenhuma forma de relacionamento humano é tão lucrativa quanto aquela em que se trocam pensamentos úteis; pode ser surpreendente, mas é verdade, que se pode adquirir da mente da pessoa mais humilde ideias de primeira grandeza em importância. Vou ilustrar o que estou dizendo com a história de um pregador que captou da mente do zelador de sua igreja uma ideia que o levou a alcançar seu objetivo principal definido.

O nome do pregador era Russell Conwell, e seu objetivo principal havia muito era fundar uma faculdade. Tudo de que precisava era do dinheiro, uma soma elevada, pouco mais de US$ 1 milhão.

Um dia o reverendo Russell Conwell parou para conversar com o zelador da igreja, que estava ocupado cortando a grama. Enquanto falavam sobre amenidades, o reverendo Conwell comentou em tom casual que a grama ao lado do cemitério estava muito mais verde e bem-cuidada que o gramado deles, pretendendo dar uma reprimenda branda no velho zelador.

Com um sorriso largo no rosto, o homem respondeu: "Sim, aquela grama com certeza parece mais verde, mas só porque estamos muito mais acostumados com o gramado do lado de cá da cerca". Muito bem, não havia nada de brilhante no comentário, porque a intenção era usá-lo apenas como desculpa para a preguiça, mas plantou na mente fértil de Russell Conwell a semente de uma ideia – uma simples sementinha de pensamento – que levou à solução de seu maior problema.

A partir do comentário humilde, nasceu a ideia de um sermão que o pregador compôs e repetiu mais de quatro mil vezes. Ele o chamou de "Acres de diamantes". A ideia central era a seguinte: a pessoa não precisa ir longe em busca de oportunidade, pode encontrá-la bem onde está ao reconhecer que a grama do outro lado da cerca não é mais verde do que a do local onde ela se encontra.

O sermão rendeu mais de US$ 6 milhões ao longo da vida de Russell Conwell. Publicado em formato de livro, foi *best-seller* por muitos anos e pode ser encontrado até hoje. O dinheiro foi usado para fundar e manter a Temple University na Filadélfia, Pensilvânia, uma das maiores instituições de ensino do país.

A ideia em torno da qual o sermão foi organizado fez mais do que fundar uma universidade. Ela enriqueceu a mente de milhões de pessoas, influenciando-as a procurar oportunidades bem ali onde estavam. A filosofia do sermão é tão sólida hoje quanto era ao sair da mente de um trabalhador.

Lembre-se disto: cada cérebro ativo é uma possível fonte de inspiração de onde se pode tirar uma ideia ou a mera semente de uma ideia, ou um valor inestimável na solução de seus problemas pessoais, ou a realização de seu objetivo principal na vida. Às vezes grandes ideias surgem de mentes humildes, mas em geral nascem da mente daqueles que estão mais próximos do indivíduo, onde o MasterMind foi deliberadamente estabelecido e mantido.

A ideia mais lucrativa de minha carreira surgiu certa tarde, enquanto Charlie Schwab e eu andávamos por um campo de golfe. Quando terminamos nossas tacadas no décimo terceiro buraco, Charlie levantou a cabeça com um sorriso acanhado e disse: "Estou três tacadas à sua frente nesse buraco, chefe, mas acabo de ter uma ideia que pode lhe dar muito tempo livre para jogar golfe".

A curiosidade me fez perguntar que ideia era aquela. Ele respondeu com uma frase breve, e cada palavra valia, por assim dizer, US$ 1 milhão. "Consolide todas as suas siderúrgicas em uma grande corporação e venda para os banqueiros de Wall Street", disse ele.

Nada mais foi falado sobre o assunto durante o jogo, mas naquela noite comecei a rever a sugestão mentalmente e pensar a respeito. Antes de dormir, eu havia transformado a semente da ideia em um objetivo principal definido. Na semana seguinte, mandei Charlie Schwab a Nova York para fazer uma palestra para um grupo de banqueiros de Wall Street, entre eles J. Pierpont Morgan. O tema da palestra era o plano para a organização da United States Steel Corporation, por meio da qual consolidei todas as minhas siderúrgicas e me aposentei dos negócios com mais dinheiro do que qualquer indivíduo necessita.

Agora vou enfatizar um ponto: a ideia de Charlie Schwab poderia jamais ter nascido e eu poderia não ser beneficiado por ela, caso não tivesse me encarregado de incentivar meus associados a criar ideias. Esse incentivo foi proporcionado por uma aliança de MasterMind próxima e contínua com os membros de minha organização, entre os quais Charlie Schwab.

Contato, volto a dizer, é uma palavra importante. E é muito mais importante se juntarmos a ela a palavra "harmonioso". Pelo relacionamento harmonioso com outras mentes, um indivíduo obtém pleno uso da própria capacidade de criar ideias. O homem que ignora esse grande fato condena-se eternamente à penúria e carência.

Ninguém é esperto o bastante para projetar sua influência no mundo sem a cooperação amistosa de outros. Aplique esse pensamento de todas as maneiras que puder, porque é suficiente para abrir a porta para o sucesso nos mais elevados patamares da realização individual.

Muitos procuram sucesso longe de onde estão e, muito frequentemente, com planos complicados baseados em crença na sorte ou em milagres que os favorecerão. Como Russell Conwell afirmou tão bem em seu sermão, algumas pessoas parecem pensar que a grama é mais verde do outro lado da cerca e ignoram os "acres de diamantes" em forma de ideias e oportunidades disponíveis na mente de seus associados diários.

Encontrei meu acre de diamantes bem aqui onde estou, enquanto observava o fulgor de um alto-forno de siderurgia. Lembro-me bem do primeiro dia em que comecei a me convencer a me tornar um líder da grande indústria do aço em vez de continuar sendo um ajudante no acre de diamantes de outro homem.

No início o pensamento não era muito definido. Era mais um desejo do que um objetivo definido. Mas comecei a trazê-lo de volta à mente e incentivá-lo a se apoderar de mim, até o dia em que a ideia começou a me induzir em vez de eu ter que induzi-la. Naquele dia comecei a trabalhar a sério no meu acre de diamantes e fiquei surpreso ao ver como um objetivo principal definido pode encontrar rapidamente um jeito de se traduzir em seu equivalente físico.

O principal é saber o que se quer.

A segunda coisa mais importante é começar a cavar em busca dos diamantes exatamente onde se está, usando quaisquer ferramentas que se tenha à mão, mesmo que sejam apenas ferramentas de pensamento. À medida que se fizer uso constante das ferramentas que se tem, ferramentas melhores serão colocadas em mãos quando se estiver preparado para elas.

Quem entende o MasterMind e faz uso dele vai encontrar as ferramentas necessárias muito mais depressa do que quem nada sabe sobre esse princípio. Toda mente precisa de contato amistoso com outras mentes a fim de ter alimento para expansão e crescimento. A pessoa com discernimento e objetivo principal definido na vida escolhe com o maior cuidado as mentes com as quais se associa de forma mais próxima porque sabe que vai assumir uma porção da personalidade de cada pessoa com quem assim se associar.

Eu não daria muito por um homem que não se encarrega de buscar a companhia de pessoas que sabem mais que ele. Um homem se eleva ao nível de seus superiores ou cai ao nível de seus inferiores de acordo com a classe que emula por sua escolha de associados.

Por fim, mais um pensamento que todo indivíduo que trabalha por honorários ou salário deve reconhecer e respeitar: seu trabalho é e deve ser um aprendizado para uma posição mais alta na vida, pelo qual é pago de duas maneiras importantes: primeiro, pelo salário que recebe diretamente; segundo, pela experiência que acumula com o trabalho. Com frequência o maior pagamento está não no envelope do salário, mas na experiência que se adquire com o trabalho.

Esse pagamento extra que a pessoa pode obter com sua experiência depende em grande parte da atitude mental com que se relaciona com seus associados no trabalho – tanto os que estão acima quanto o que estão abaixo. Se a atitude é positiva e de cooperação, e, se ela segue o hábito de fazer um esforço extra, o progresso com certeza será certo e rápido.

Assim, vemos que quem progride não só faz uso prático do princípio do MasterMind, mas também aplica o princípio de fazer um esforço extra e o princípio da definição de objetivo. Os três princípios estão inseparavelmente associados a pessoas bem-sucedidas em todas as esferas da vida.

Casamento

O casamento é, de longe, a aliança mais importante que qualquer pessoa pode viver durante toda a vida. É importante nos aspectos financeiro, físico, mental e espiritual, porque é um relacionamento formado por tudo isso.

O lar é onde a maioria das alianças de MasterMind deve começar, e o homem que escolheu sua parceira com discernimento, caso seja sábio no aspecto econômico, fará da esposa o primeiro membro de seu grupo pessoal de MasterMind. A aliança doméstica deve incluir não só marido e esposa, mas também outros membros da família caso residam na mesma casa, especialmente os filhos.

O MasterMind põe em ação as forças espirituais daqueles que se aliaram por um objetivo definido, e poder espiritual, embora possa parecer intangível, ainda é o maior de todos os poderes. O homem casado que está em bons termos com a esposa – em termos de completa harmonia, compreensão, solidariedade e singularidade de propósito – tem no relacionamento um bem valioso que pode elevá-lo a grandes patamares de realização pessoal.

Desarmonia entre um homem e sua esposa é imperdoável, seja qual for a causa. É imperdoável porque pode destruir as chances de sucesso, mesmo que o homem tenha todos os atributos necessários para ser bem-sucedido.

Apenas para as esposas

Posso oferecer aqui uma sugestão em benefício das esposas? Se ouvida e seguida, essa sugestão pode ser a diferença entre uma vida de pobreza e miséria e uma vida de opulência e fartura.

A esposa tem mais influência sobre o marido que qualquer outra pessoa. Ou melhor, tem essa influência superior se aproveitar ao máximo o relacionamento com o marido. Ele a escolheu para se casar, preferiu-a dentre todas as mulheres que conhecia, o que significa que ela tem seu amor e sua confiança.

O amor encabeça uma lista de nove motivos básicos que inspiram todas as ações voluntárias. Pela emoção do amor, a esposa pode mandar o marido para o trabalho diário com uma disposição que não reconhece fracasso. Mas lembre-se de que implicar, fazer cenas de ciúme, apontar defeitos e demonstrar indiferença não são coisas que alimentam a emoção do amor. Elas a matam.

Uma esposa sábia organizará com o marido um horário regular de MasterMind todos os dias; nesse período eles vão listar todos os interesses mútuos e discuti-los em detalhes, com um espírito de amor e compreensão. Os períodos mais adequados para essa conversa de MasterMind são depois da refeição matinal e antes de ir para a cama.

As refeições devem ser um período de intercurso amigável entre esposa e marido. Não devem ser convertidas em momentos de inquisição e acusações, mas de adoração em família, durante os quais haja alegria e a discussão de assuntos agradáveis de interesse comum para marido e esposa. Mais relacionamentos familiares são arruinados na hora da refeição do que em qualquer outro horário, porque esse é o momento em que muitas famílias se dedicam a resolver diferenças de opinião ou disciplinar os filhos.

Dizem que o estômago é o caminho para seu coração. Portanto, a hora da refeição oferece uma excelente oportunidade para a esposa tocar o coração do marido com uma ideia que deseje plantar nele. Mas a abordagem deve se basear em amor e afeto, não em hábitos negativos de punição e acusação.

A esposa pode induzir o marido a fazer muitas coisas. A esposa deve ter um intenso interesse na ocupação do marido. Deve conhecer cada característica e nunca deixar passar uma oportunidade de expressar profundo interesse em tudo que diz respeito à fonte de sustento do marido.

Acima de tudo, não deve ser daquelas esposas que dizem ao marido, não por palavras, mas por inferência: "Você traz o dinheiro para casa, eu gasto; não me aborreça com detalhes sobre como ganha esse dinheiro, porque não estou interessada". Se uma esposa adota essa atitude, chegará o tempo em que o marido não estará interessado em quanto dinheiro levará para casa, e poderá chegar o tempo em que não levará dinheiro algum para casa. Creio que esposas sábias entendem o que quero dizer.

Quando uma mulher se casa, torna-se a maior acionista da firma. Caso se relacione com o marido por uma aplicação verdadeira do princípio do MasterMind, continuará controlando as ações como quiser enquanto o casamento existir.

A esposa sábia administra os negócios da firma com um orçamento preparado com esmero, cuidando para não gastar mais do que a renda permite. Muitos casamentos acabam porque a firma fica sem dinheiro. Não é mero axioma dizer que, quando a pobreza bate à porta, o amor sai correndo pela janela. O amor, como uma bela fotografia, requer o adorno de uma moldura apropriada e a iluminação adequada. Requer cultivo e alimento, como o corpo físico. O amor não desabrocha de indiferença, implicância, acusações ou dominação de qualquer lado.

O amor prospera melhor onde marido e esposa o alimentam com singularidade de propósito. A esposa que se lembra disso se mantém sempre a pessoa mais influente na vida do marido. A esposa que se esquece disso pode ver chegar o tempo em que o marido começa a olhar em volta procurando uma oportunidade de trocá-la por um modelo mais novo, para usar uma metáfora da indústria automobilística.

O marido tem a responsabilidade de ganhar a vida, mas a esposa pode ter a responsabilidade de amenizar os choques e a resistência que ele encontra em sua ocupação – uma responsabilidade que ela pode desempenhar planejando uma vida doméstica agradável, com atividades sociais que possam ser adequadas à vocação do marido. A esposa deve garantir que a casa seja o lugar onde o marido deixa de lado as preocupações com os negócios ou com o trabalho e desfruta dos êxtases que só o amor, a afeição e a compreensão de uma esposa podem prover. A esposa que segue essa política terá a sagacidade dos sábios e será mais rica – nos aspectos mais importantes – que muitas rainhas.

Também alerto as esposas para que não permitam que o instinto maternal supere o amor pelo marido, levando a transferir todo o amor e toda a atenção para os filhos. Esse erro destruiu muitos lares e pode arruinar qualquer um se a esposa falhar em se resguardar do erro que muitas cometem, trocando o amor pelo marido pelo amor pelos filhos. O amor de uma mulher, se for o tipo certo de amor, é suficiente em abundância para atender aos filhos e ao marido, e é feliz a esposa que cuida para que seu amor seja suficiente para atender ao marido e aos filhos generosamente, sem preferência injusta em favor de um ou outro.

Onde o amor abunda como a base do MasterMind da família, as finanças provavelmente não serão motivo de inquietação, porque o amor pode ultrapassar todos os obstáculos, enfrentar todos os problemas e superar todas as dificuldades. Problemas familiares podem surgir e surgem em todas as famílias, mas o amor deve ser o mestre de todos eles. Mantenha a luz do amor brilhando intensamente, e todo o resto vai se moldar ao padrão de seus desejos mais elevados.

Sei que esse é um bom conselho porque o segui em meu relacionamento familiar e posso garantir que foi o responsável por todo o sucesso material que conquistei.

A revelação franca de Carnegie é impressionante considerando-se que ele acumulou fortuna superior a US$ 500 milhões. Ele fez uma imensa fortuna, mas quem conhecia seu relacionamento com a esposa sabe que a Sra. Carnegie o fez!

Mulheres nos bastidores

Seguindo no assunto do MasterMind em família de onde Carnegie parou, agora parece um momento apropriado para chamar atenção para o fato de que a experiência dele não é de forma alguma um caso isolado. Thomas A. Edison admitiu que a esposa era sua maior fonte de inspiração. Eles faziam reuniões de MasterMind todos os dias, geralmente ao final do expediente de Edison, e não permitiam que nada interferisse. A Sra. Edison se encarregava disso, porque reconhecia o valor de seu intenso interesse em todo trabalho experimental do marido.

Edison muitas vezes trabalhava até tarde da noite, mas, ao voltar para casa, encontrava a esposa à espera, ansiosa para ouvi-lo falar sobre os sucessos e fracassos do dia. Ela conhecia e se interessava por cada experimento que o marido conduzia. A Sra. Edison atuava como uma espécie de caixa de ressonância, por meio da qual o inventor tinha o privilégio de olhar o próprio trabalho de fora, e dizem que ela muitas vezes forneceu o elo perdido de muitos problemas não resolvidos por ele. Se o relacionamento de MasterMind era considerado valioso por homens do calibre de Edison, por certo deveria ser visto da mesma maneira por aqueles que se empenham em encontrar seu lugar no mundo.

Os príncipes do amor e do romance tiveram papel importante na vida de todos os líderes realmente grandes. A história de Robert e Elizabeth Browning é repleta de evidências de que essas entidades invisíveis, que eles reconheciam e respeitavam, foram em grande parte responsáveis pelas obras literárias inspiradoras desses grandes poetas.

John Wanamaker, o "príncipe mercante" da Filadélfia, como era conhecido por milhares de pessoas, atribuiu à esposa o crédito por sua ascensão da pobreza à fama e fortuna. Reuniões de MasterMind integravam a rotina diária do casal, com uma parte da noite reservada para esse fim, normalmente antes de se recolherem.

A história atribui a ascensão militar de Napoleão Bonaparte à influência inspiradora de sua primeira esposa, Josephine. O sucesso militar de Napoleão começou a diminuir quando ele permitiu que a ambição pelo poder o levasse a deixar Josephine de lado, e sua derrota e exílio para a solitária ilha de Santa Helena não tardaram.

É possível que hoje em dia muitos Napoleões dos negócios deparem com o mesmo tipo de derrota pelo mesmo motivo. É comum os homens manterem o relacionamento de MasterMind com a esposa até alcançarem o poder, a fama e a fortuna e depois trocá-las por "modelos mais novos", como disse Andrew Carnegie.

A história de Charles M. Schwab foi diferente. Ele conquistou fama e fortuna por meio da aliança de MasterMind com Andrew Carnegie, auxiliado por um relacionamento similar com a esposa, inválida durante a maior parte da vida de casados. Ele não a afastou por isso, permaneceu leal a seu lado até o dia de sua morte, porque acreditava que lealdade é o primeiro requisito do bom caráter.

Lealdade

Já que falamos de lealdade, talvez não seja inadequado sugerir que a falta de lealdade entre membros de MasterMind empresariais está entre as mais frequentes causas de fracasso nos negócios. Enquanto mantêm o espírito de lealdade entre si, parceiros de negócios geralmente encontram um jeito de enfrentar as derrotas e superar suas deficiências.

Diz-se que o primeiro traço de caráter que Andrew Carnegie procurava nos jovens que promovia de empregados de posições inferiores para executivos bem pagos era a lealdade. Carnegie sempre dizia que, se um homem não tinha a qualidade da lealdade, não tinha a base apropriada para um bom caráter em outros sentidos.

Seus métodos para testar a lealdade dos funcionários era ao mesmo tempo engenhoso e múltiplo. Os testes aconteciam antes e depois das promoções, até não restar nenhuma dúvida. O fato de Carnegie ter cometido poucos erros ao julgar a lealdade dos funcionários deve-se à profunda compreensão que tinha dos homens.

Não revele o propósito de sua aliança de MasterMind a quem não faz parte dela e certifique-se de que os outros membros também não o façam, porque os preguiçosos, os céticos e os invejosos ficam pelos cantos da vida procurando uma oportunidade para plantar sementes de desânimo na mente daqueles que os estão superando. Evite essa armadilha guardando seus planos para você, até que possam ser revelados por seus atos e por suas realizações.

Não vá para suas reuniões de MasterMind com a cabeça tomada por uma atitude mental negativa. Lembre, se você é o líder de seu grupo de MasterMind, é sua responsabilidade manter cada membro da aliança com alto grau de interesse e entusiasmo. Você não consegue fazer isso se estiver negativo. Além disso, ninguém segue com entusiasmo uma pessoa que mostra tendência a dúvida, indecisão ou falta de fé no objetivo principal definido. Mantenha seus aliados de MasterMind em elevado grau de entusiasmo mantendo-se na mesma disposição.

Não deixe de cuidar para que cada membro de sua aliança de MasterMind receba compensação adequada, de uma forma ou de outra, proporcional à contribuição dada para o seu sucesso. Lembre-se de que ninguém jamais faz nada com entusiasmo a menos que se beneficie de algum jeito. Familiarize-se com os nove motivos básicos que inspiram toda ação voluntária e certifique-se de que cada um de seus aliados de MasterMind seja devidamente motivado a agir de modo leal, entusiasmado e completamente confiável.

Se você se relaciona com seus aliados de MasterMind pelo desejo de ganho financeiro, tenha certeza de dar mais do que recebe, adotando e seguindo o princípio de fazer um esforço extra. Faça isso de modo voluntário, antes de ser solicitado, se quiser tirar proveito máximo do hábito.

Não coloque concorrentes em sua aliança de MasterMind. Siga a política do Rotary Club, cerque-se de pessoas que não tenham motivos de antagonismo umas com as outras, que não sejam concorrentes.

Não tente dominar seu grupo de MasterMind à força, por medo ou coação, mas exerça a liderança com diplomacia, baseado em um motivo definido para lealdade e cooperação. Os dias da liderança pela força já passaram. Não tente revivê-los, pois não há lugar para isso na vida civilizada. Não deixe de tomar todas as medidas necessárias para criar o espírito de companheirismo entre seus aliados de MasterMind, porque trabalho amistoso em equipe confere um poder que não se alcança de nenhuma outra forma.

A mais poderosa aliança de MasterMind da história foi formada pelas Nações Unidas durante a Segunda Guerra Mundial. Seus líderes anunciaram ao mundo todo que o objetivo principal definido era estabelecer a liberdade de todos os povos do mundo, tanto vitoriosos quanto derrotados.

O pronunciamento valeu por mil vitórias nos campos de batalha, porque teve o efeito de estabelecer confiança na mente das pessoas afetadas pelo desfecho da guerra. Sem confiança não pode haver relacionamento de MasterMind, nem no campo das operações militares, nem em nenhum outro lugar.

Confiança é a base de todos os relacionamentos harmoniosos. Lembre-se disso quando organizar seu grupo de MasterMind, se quiser que essa aliança dure e sirva aos seus interesses de maneira eficiente.

Acabei de revelar como funciona a maior de todas as fontes de poder pessoal – o MasterMind. Pela combinação dos primeiros quatro princípios desta filosofia – o hábito de fazer um esforço extra, definição de objetivo, MasterMind e o que vem a seguir –, é possível obter uma pista sobre o segredo do poder disponibilizado pela chave mestra das riquezas.

Portanto, não é despropositado preveni-lo para abordar o próximo capítulo em estado de expectativa, porque ele pode marcar a virada mais importante de sua vida. Vou revelar a verdadeira abordagem para a plena compreensão de um poder que tem desafiado o mundo da ciência. Mais ainda, espero fornecer a fórmula pela qual você poderá se apropriar desse poder e usá-lo para alcançar seu objetivo principal definido na vida.

Capítulo 8

FÉ APLICADA

A fé é um visitante real que só entra na mente apropriadamente preparada para ela, a mente organizada pela autodisciplina. À maneira da realeza, a fé exige o melhor quarto; não, a melhor suíte da residência mental. Ela não se deixa confinar nos aposentos dos empregados e não se associa com a inveja, a ganância, a superstição, o ódio, a vingança, a vaidade, a dúvida, a preocupação ou o medo.

Entenda o pleno significado dessa verdade e você estará a caminho de compreender o poder misterioso que tem intrigado os cientistas ao longo de eras. Você reconhecerá a necessidade de condicionar sua mente pela autodisciplina antes de esperar que a fé se torne sua hóspede permanente.

Lembrando as palavras do sábio de Concord, Ralph Waldo Emerson – "Em todo homem existe alguma coisa que posso aprender, e nisso sou seu aluno" –, vou apresentar agora um homem que foi um grande benfeitor da humanidade, para que você possa observar como se condiciona a mente para a expressão da fé. Vou deixar que ele conte a própria história:

> Durante a Depressão econômica que começou em 1929, fiz um curso de pós-graduação na Universidade dos Golpes Duros, a maior de todas as escolas. Foi lá que descobri a fortuna oculta que eu possuía, mas não usava. Fiz a descoberta certa manhã, quando recebi a notícia de que meu banco tinha fechado e possivelmente nunca mais reabriria; foi então que comecei a avaliar meus bens intangíveis que não usava.

Venham comigo enquanto descrevo o que essa avaliação revelou. Vamos começar com o item mais importante da lista, a fé não usada.

Quando busquei no fundo de meu coração, descobri, apesar das perdas financeiras, que tinha uma abundância de fé restante na Inteligência Infinita e fé em meus semelhantes. Com essa descoberta veio outra de importância ainda maior – a fé pode realizar o que nem todo o dinheiro do mundo pode fazer.

Quando tinha todo o dinheiro de que precisava, cometi o lamentável erro de acreditar que o dinheiro fosse uma fonte permanente de poder. Agora vinha a chocante revelação de que dinheiro sem fé não passa de matéria inerte, em si mesma destituída de qualquer poder.

Reconhecendo, talvez pela primeira vez na vida, o poder estupendo da fé duradoura, analisei-me cuidadosamente para determinar o quanto detinha dessa riqueza. A análise foi surpreendente e gratificante.

Comecei a análise dando uma volta pelo bosque. Queria me afastar da multidão, do barulho da cidade, das perturbações da civilização e dos medos dos homens para meditar em silêncio Ah! Que gratificação existe na palavra "silêncio".

Em minha jornada, peguei uma bolota e a segurei na palma da mão. Encontrei-a perto das raízes do carvalho gigante do qual ela havia caído. Calculei que a árvore era muito velha, tanto que já deveria ser grande quando George Washington era só um menino.

Olhando para a enorme árvore e para sua pequena descendente embrionária que eu tinha na mão, me dei conta de que o carvalho tinha crescido de uma pequena bolota. Também me dei conta de que ser humano algum poderia ter criado uma árvore como aquela.

Tive consciência de que alguma forma de inteligência intangível havia criado a bolota da qual a árvore cresceu e feito a bolota germinar e começar sua escalada rompendo a terra. Então percebi que os maiores poderes são os intangíveis e não os que consistem em saldos bancários ou coisas materiais.

Peguei um punhado de terra preta e cobri a bolota. Segurei em minha mão a porção visível da substância da qual havia crescido aquela árvore magnífica.

Arranquei uma samambaia da raiz do carvalho gigantesco. Suas folhas eram lindamente desenhadas – sim, desenhadas. Enquanto examinava a samambaia, me dei conta de que ela também havia sido criada pela mesma inteligência que havia produzido o carvalho.

Continuei a caminhada pelo bosque até chegar a um riacho de cintilante água cristalina. Àquela altura, estava cansado; assim, sentei ao lado do riacho para descansar e ouvir sua música rítmica, enquanto ele dançava a caminho do mar.

A experiência me trouxe lembranças da juventude. Lembrei-me de brincar perto de riacho semelhante. Enquanto estava ali sentado ouvindo a música da água, tomei consciência de um ser invisível – uma inteligência – que falava dentro de mim e contava a história encantadora da água. E foi esta a história que ela contou:

> Água! Água pura e cristalina. A mesma que presta serviço desde que o planeta esfriou e se tornou o lar de seres humanos, animais e vegetação.
>
> Água! Ah, que história você poderia contar se falasse a língua humana. Você saciou a sede de infinitos milhões de residentes da Terra, alimentou as flores, expandiu-se em vapor e moveu as rodas de máquinas criadas pelo ser humano, condensou-se e retornou à forma original. Limpou esgotos, lavou calçadas, prestou incontáveis serviços à humanidade e aos animais, voltando sempre à sua fonte nos mares, para lá se purificar e recomeçar a jornada de serviço.

> Quando se move, você viaja em uma só direção, para os mares de onde veio. Está eternamente indo e vindo, mas parece sempre feliz com seu trabalho.
>
> Água! Substância limpa, pura e cristalina. Por mais trabalho sujo que faça, você se limpa ao fim da tarefa.
>
> Você não pode ser criada, não pode ser destruída. É parente de toda a vida. Sem sua beneficência, nenhuma forma de vida existiria nesta Terra.

E a água do riacho seguiu ondulando e rindo em seu caminho de volta para o mar.

A história da água acabou, mas eu havia escutado um ótimo sermão; estivera perto da maior de todas as formas de inteligência. Senti a evidência da mesma inteligência que havia criado o grande carvalho a partir de uma pequena bolota; inteligência que havia desenhado as folhas da samambaia com competência mecânica e estética que nenhum ser humano poderia reproduzir.

As sombras das árvores se tornavam mais longas; o dia chegava ao fim. Enquanto o sol descia devagar no horizonte a oeste, percebi que ele também havia desempenhado um papel naquele maravilhoso sermão. Sem a ajuda benéfica do sol, não poderia ter acontecido a conversão da bolota em carvalho. Sem o auxílio do sol, a água cristalina do riacho teria ficado eternamente presa nos oceanos, e a vida nesta Terra nunca teria existido.

Esses pensamentos proporcionaram um belo clímax ao sermão que eu havia escutado; pensamentos sobre a afinidade romântica entre o sol, a água e toda a vida na Terra; comparadas a essa, todas as outras formas de romance pareciam sem importância.

Peguei uma pedrinha branca perfeitamente polida pelo riacho. Quando a segurei, recebi um sermão ainda mais importante de dentro de mim. A inteligência que transmitia aquele sermão para a minha mente parecia dizer:

> Atenção, mortal, ao milagre que segura em sua mão.
>
> Sou apenas um minúsculo seixo, mas sou, na verdade, um pequeno universo que contém tudo que pode ser encontrado na porção mais expandida do universo que você vê em meio às estrelas.
>
> Pareço morto e imóvel, mas a aparência engana. Sou feito de moléculas. Em minhas moléculas, infinidades de átomos, um universo em si mesmo cada um deles. Dentro dos átomos, inúmeros elétrons que se movem em velocidade inconcebível.
>
> Não sou uma massa morta de rocha, mas um grupo organizado de unidades de energia incessante. Pareço uma massa sólida, mas a aparência é uma ilusão, porque meus elétrons são separados uns dos outros por uma distância maior do que a massa de que são compostos.
>
> Estude-me com cuidado, ó humilde habitante da Terra, e lembre-se de que os grandes poderes do Universo são os intangíveis; que os valores da vida são aqueles que não podem ser somados no extrato bancário.

O pensamento transmitido por aquele clímax foi tão esclarecedor que fiquei hipnotizado, pois reconheci que tinha na mão uma porção infinitesimal da energia que mantém o Sol, as estrelas e a Terra, na qual vivemos por um breve período, em seus respectivos lugares.

A meditação me revelou a bela realidade de que existe lei e ordem, mesmo no âmbito diminuto de um pequeno seixo. Reconheci que, no interior da massa daquela pedrinha, estavam combinados o romance e a realidade da natureza. Reconheci que, dentro daquele seixo, os fatos transcendiam a fantasia.

Nunca antes havia sentido com tanta intensidade a evidência da lei, da ordem e do propósito da natureza que se revelam em tudo que a mente humana pode perceber. Nunca antes tinha me sentido tão perto da fonte de minha fé na Inteligência Infinita.

Foi uma bela experiência, lá em meio à família de árvores e riachos da mãe natureza, onde a calmaria do ambiente fez minha alma fatigada silenciar e repousar por um tempo, de forma que eu pudesse olhar, sentir e ouvir, enquanto a Inteligência Infinita me revelava a história de sua realidade. Nunca, em toda a minha vida, havia tido aquela consciência tão esmagadora da Inteligência Infinita ou da origem de minha fé.

Fiquei naquele paraíso recém-descoberto até a estrela vespertina começar a cintilar; depois, voltei relutante à cidade, onde me misturei novamente aos que são conduzidos como escravos pelas regras inexoráveis da civilização em um atropelo insano para reunir coisas materiais de que não precisam.

Agora estou de volta a meu escritório, com meus livros e máquina de escrever, com a qual registro minha experiência. Mas sou inundado por um sentimento de solidão e um anseio de estar lá, às margens daquele riacho amigável onde, há poucas horas, banhei a alma na realidade prazerosa da Inteligência Infinita.

Sei que minha fé na Inteligência Infinita é real e duradoura. Não é uma fé cega; baseia-se na análise minuciosa do ofício da Inteligência Infinita e em como tal ofício se expressa na ordem do universo.

Eu estava olhando para o lado errado em busca da origem de minha fé. Procurava nos feitos dos homens, nas relações humanas, em saldos bancários e coisas materiais. Encontrei-a em uma bolota, em um carvalho gigante, em um seixo ou pedrinha, nas folhas de uma simples samambaia e na terra, no sol amigo que aquece o planeta e dá movimento às águas, na estrela vespertina, no silêncio e na calma dos grandes espaços abertos. Sinto-me impelido a sugerir que a Inteligência Infinita se revela mais prontamente pelo silêncio do que pelo ruído dos esforços dos homens em sua corrida louca para acumular coisas materiais.

Minha conta bancária desapareceu, meu banco faliu, mas sou mais rico do que muitos milionários porque descobri uma abordagem direta da fé. Com seu poder me amparando, posso acumular outros saldos bancários suficientes para as minhas necessidades.

Mais que isso, sou mais rico do que a maioria dos milionários, porque conto com uma fonte de poder inspirado que se revela a mim internamente, enquanto muitos dos mais ricos têm necessidade de recorrer ao saldo bancário e à carteira de ações para encontrar estímulo e poder. Minha fonte de poder é tão livre quanto o ar que respiro, e é ilimitada! Para me servir dela, só preciso me voltar para minha fé, e isso tenho em abundância.

Assim, comprovei mais uma vez a verdade de que toda adversidade carrega consigo a semente de um benefício equivalente. Minha adversidade custou meu saldo bancário. Contudo, compensou-me com a revelação dos meios para todas as riquezas.

Fontes duradouras de fé

Você leu o relato em primeira pessoa de um homem que descobriu como condicionar a mente para a expressão da fé. Que história dramática! Dramática pela simplicidade.

Temos aqui um homem que encontrou uma base sólida para uma fé duradoura, não em saldos bancários ou riquezas materiais, mas na semente de um carvalho, nas folhas de uma samambaia, em uma pedrinha e em um riacho; coisas que todo mundo pode observar e apreciar. Só que a observação dessas coisas simples o levou a reconhecer que os maiores poderes são intangíveis e revelados pela simplicidade do que nos cerca.

Trouxe a história desse homem porque queria enfatizar como um indivíduo pode clarear a mente, mesmo em meio ao caos de dificuldades insuperáveis, e prepará-la para a expressão da fé. O fato mais importante que essa história revela é o seguinte: quando a mente é esvaziada de uma atitude mental negativa, o poder da fé entra e começa a tomar posse. Com certeza nenhum estudante desta filosofia será desafortunado a ponto de deixar de dar atenção a essa importante observação.

Vamos fazer agora uma análise da fé, embora devamos abordar o assunto com pleno reconhecimento de que se trata de um poder que tem desafiado o mundo científico. A fé ficou em quarto lugar nesta filosofia porque chega perto de representar a "quarta dimensão", embora seja apresentada aqui por sua relação com a realização pessoal.

Fé é um estado mental que pode ser chamado de "nascente da alma", pela qual metas, desejos e objetivos podem ser traduzidos em seu equivalente físico ou financeiro. Anteriormente, vimos que grande poder pode ser alcançado pelos princípios (1) do hábito de fazer um esforço extra, (2) da definição de objetivo e (3) do MasterMind. Todavia, esse poder é fraco comparado àquele disponível pela aplicação combinada desses três princípios com o estado mental conhecido como fé.

Já observamos que capacidade para fé é uma das doze riquezas. Vamos agora reconhecer os meios pelos quais essa "capacidade" pode ser preenchida com o estranho poder que tem sido o principal baluarte da civilização, a causa maior de todo progresso humano, o espírito que guia toda atividade construtiva humana.

Vamos lembrar, no início dessa análise, que fé é um estado mental que só pode ser desfrutado por aqueles que aprenderam a arte de assumir pleno e completo controle de sua mente. Essa é a única prerrogativa sobre a qual o indivíduo tem total controle.

A fé só expressa seus poderes na mente preparada para isso. A maneira de fazer essa preparação é conhecida e pode ser efetuada por todos que quiserem encontrá-la.

Os fundamentos da fé

- Definição de objetivo apoiado por iniciativa pessoal ou ação.
- Hábito de fazer um esforço extra em todas as relações humanas.
- Aliança de MasterMind com uma ou mais pessoas que irradiam coragem baseada em fé e que são espiritual e mentalmente adequadas às necessidades do indivíduo na realização de determinado objetivo.
- Mente positiva, livre de todas as negatividades, como medo, inveja, ganância, ódio, ciúme e superstição. (Atitude mental positiva é a primeira e a mais importante das doze riquezas.)
- Reconhecimento de que cada adversidade traz consigo a semente de um benefício equivalente, que derrota temporária não é fracasso enquanto não for aceita como tal.
- Hábito de afirmar o objetivo principal definido de vida em uma cerimônia de meditação pelo menos uma vez ao dia.
- Reconhecimento da existência da Inteligência Infinita que ordena o Universo, que todos os indivíduos são expressões diminutas dessa inteligência, e, como tal, a mente não tem limitações, exceto aquelas que são aceitas e instaladas pelo indivíduo na própria mente.
- Avaliação cuidadosa das derrotas e adversidades do passado, que mostrará que todas essas experiências continham a semente de um benefício equivalente.
- Respeito expresso pela harmonia com a própria consciência.
- Reconhecimento da unicidade de toda a humanidade.

Esses são os aspectos fundamentais e mais importantes na preparação da mente para a expressão da fé. Sua aplicação não requer nenhum grau de superioridade, mas sim inteligência e sede voraz de verdade e justiça.

A fé só confraterniza com a mente positiva. É o *élan* vital que concede poder, inspiração e ação a uma mente positiva. É o poder que faz uma mente positiva agir como ímã, atraindo a exata contraparte física do pensamento que expressa.

A fé proporciona desenvoltura à mente, permitindo que faça "farinha de tudo que chega ao moinho". A fé identifica oportunidades favoráveis em todas as circunstâncias da vida pelas quais se pode alcançar o objeto de fé, chegando a prover até mesmo os meios pelos quais fracasso e derrota podem ser transformados em sucesso de dimensões equivalentes. A fé permite ao ser humano penetrar profundamente nos segredos da natureza e entender a linguagem com que ela se expressa em todas as leis naturais. Desse tipo de revelação vieram todas as grandes invenções que servem a humanidade e uma melhor compreensão do caminho para a liberdade humana por meio de harmonia nas relações humanas. A fé torna possível realizar aquilo que se consegue conceber e acreditar.

Thomas A. Edison acreditou que poderia aperfeiçoar uma lâmpada elétrica incandescente. Apesar de ter falhado mais de dez mil vezes, a fé o levou à descoberta do segredo que procurava.

Marconi acreditou que a energia do éter poderia ser usada para transportar as vibrações do som sem o uso de cabos. Sua fé o conduziu por intermináveis fracassos até ele finalmente ser recompensado com o triunfo.

Cristóvão Colombo acreditou que a Terra era redonda e que encontraria um continente se navegasse por um oceano inexplorado. Apesar dos protestos insubordinados de seus marinheiros incrédulos, Colombo navegou em frente até ser recompensado pela fé.

Helen Keller acreditou que aprenderia a falar, embora fosse muda, surda e cega. Sua fé lhe restaurou a fala e lhe deu o equivalente à audição por meio do tato, provando assim que a fé pode e vai encontrar um caminho para a realização dos desejos humanos.

Para ter fé, mantenha a mente naquilo que quer. E lembre-se de que não existe uma fé todo-abrangente, porque fé é a demonstração externa de definição de objetivo. Fé é orientação que vem de dentro. A força orientadora é a Inteligência Infinita dirigida para fins definidos. A Inteligência Infinita não vai trazer aquilo que se deseja, mas guiará o indivíduo para seu objeto de desejo.

Como demonstrar o poder da fé

- Saiba o que você quer e determine o que tem para dar em troca.
- Quando afirmar os objetos de seus desejos pela oração, inspire a imaginação para se ver já de posse deles e depois aja exatamente como se já tivesse a posse física daí. (Lembre, a posse de alguma coisa acontece primeiro na mente.)
- Mantenha a mente sempre aberta à orientação que vem de dentro; quando for inspirado por "intuições" para modificar seus planos ou passar para um novo plano, siga sem hesitação ou dúvida.
- Quando surpreendido por derrota temporária, como pode acontecer muitas vezes, lembre-se de que a fé é testada de muitas maneiras, e sua derrota pode ser apenas um período de teste. Portanto, aceite a derrota como uma inspiração para maior esforço e vá em frente com a crença de que terá sucesso.
- Qualquer estado mental negativo destrói a capacidade de ter fé e resulta em um clímax negativo de qualquer afirmação que você possa fazer. Seu estado mental é tudo; portanto, tome posse de sua mente, limpe-a completamente de todos os invasores indesejados e inimigos da fé e a mantenha limpa custe o que custar.

- Aprenda a dar expressão a seu poder de fé escrevendo uma descrição clara de seu objetivo principal definido na vida e usando-a como base para a meditação diária.
- Associe a seu objetivo principal definido o maior número possível dos nove motivos básicos descritos no Capítulo 1.
- Faça uma lista de todos os benefícios e vantagens que espera obter com seu objetivo principal definido e traga-os à mente muitas vezes por dia, tornando-a assim "consciente do sucesso". (Isso costuma ser chamado de autossugestão.)
- Associe-se tanto quanto possível a pessoas solidárias com seu objetivo principal definido, pessoas em harmonia com você, e inspire-as a incentivá-lo de todas as formas possíveis.
- Não permita que se passe um dia sem fazer pelo menos um movimento decidido rumo à realização do objetivo principal definido. Lembre, fé sem ações é morte.
- Escolha uma pessoa de grande autossuficiência e coragem para lhe dar "ritmo" e tome a decisão não só de acompanhá-la, mas também de superá-la. Faça isso em silêncio, sem mencionar o plano para ninguém. (Falar demais é fatal para o sucesso, porque fé não tem nada em comum com vaidade ou narcisismo.)
- Cerque-se de livros, imagens, lemas e outros lembretes sugestivos de autossuficiência baseada em fé conforme demonstrado por outras pessoas, criando assim uma atmosfera de prosperidade e realização. Esse hábito renderá resultados estupendos.
- Adote uma política de nunca se esquivar ou fugir de circunstâncias desagradáveis, e sim reconhecer tais circunstâncias e montar um contra-ataque no momento em que o atingirem. Você vai descobrir que reconhecer essas circunstâncias sem medo de suas consequências representa 90% da batalha para vencê-las.

- Reconheça que tudo que vale a pena tem um preço definido. O preço da fé, entre outras coisas, é a eterna vigilância no cumprimento dessas instruções simples. Sua palavra de ordem deve ser persistência.

Esses são os passos que levam ao desenvolvimento e à manutenção de uma atitude mental positiva, a única em que a fé habita. São os passos que conduzem tanto às riquezas da mente e do espírito quanto às riquezas materiais. Nutra a mente com esse tipo de alimento mental. Esses são os passos pelos quais a mente pode ser preparada para as mais elevadas expressões da alma.

Fé em ação

Alimente sua mente com esse tipo de alimento mental e será fácil adotar o hábito de fazer um esforço extra. Será fácil manter a mente sintonizada naquilo que você deseja, com a certeza de que será seu.

"A chave para todo homem", disse Emerson, "é seu pensamento." Isso é verdade. Todo homem é hoje o resultado de seus pensamentos ontem.

James J. Hill ficava sentado com a mão na chave de telégrafo, esperando uma "linha aberta". Mas não ficava ocioso. A imaginação trabalhava, construindo um grande sistema ferroviário transcontinental pelo qual esperava acessar os vastos recursos da porção ocidental não desenvolvida dos Estados Unidos.

Hill não tinha dinheiro. Não tinha amigos influentes. Não tinha registros de grandes realizações que conferissem prestígio. Mas tinha fé, o poder irresistível que não reconhece o impossível. Ele escreveu seu objetivo principal definido sem omitir nenhum detalhe. Em um mapa dos Estados Unidos, desenhou o trajeto da ferrovia que propunha. Ele dormia com aquele mapa embaixo do travesseiro. Carregava-o aonde quer que fosse.

Alimentava a mente com o desejo de realização do sonho até transformar o sonho em realidade.

Na manhã seguinte ao grande incêndio que destruiu a área comercial de Chicago, Marshall Field foi ao endereço onde um dia antes ficava sua loja. Em volta dele, grupos de comerciantes cujas lojas também haviam sido destruídas. Ele ouviu as conversas e descobriu que aqueles homens tinham perdido a esperança e muitos haviam decidido se mudar para algum lugar mais a oeste e começar de novo. Chamando os que estavam mais próximos dele, Field disse: "Cavalheiros, façam o que quiserem, mas eu pretendo ficar bem aqui. Ali, onde vocês veem os restos fumegantes do que um dia foi minha loja, vou construir a maior loja do mundo". A loja que Field construiu a partir da fé ainda existe no mesmo local, em Chicago.

James Hill, Marshall Field e outros como eles foram os pioneiros do grande estilo de vida americano. Deram-nos sistemas ferroviários e de comunicações. Deram-nos o cinema, o rádio, os aviões, os arranha-céus com esqueletos de aço, o automóvel, as estradas melhoradas, os eletrodomésticos, as usinas elétricas, o raio X, as instituições bancárias e de investimentos, as grandes companhias de seguro de vida e, o mais importante, prepararam o caminho, por intermédio de sua fé, para a liberdade de que todos desfrutam como cidadãos americanos.

Progresso humano não é questão de acidente ou sorte. É resultado de fé aplicada, expressa por aqueles que condicionaram a mente, por intermédio dos dezessete princípios desta filosofia, para expressar fé.

O espaço que cada um ocupa no mundo é medido pela fé que expressa em relação a suas metas e propósitos. Vamos nos lembrar disso, nós que aspiramos a desfrutar de liberdade e riquezas. Vamos lembrar também que a fé não determina limites de liberdade ou riqueza, mas guia cada indivíduo para a realização de seus desejos, sejam grandes ou pequenos, de acordo com sua capacidade de expressar fé.

E, embora a fé seja o poder que desafia a análise dos cientistas, o procedimento pelo qual pode ser aplicada é simples e compreensível pelos mais humildes, sendo assim propriedade comum de toda a humanidade. Tudo que se sabe sobre esse procedimento foi colocado de maneira simples neste capítulo, e nem um só passo dele está além do alcance da pessoa mais humilde.

A fé começa com definição de objetivo, operando na mente preparada mediante o desenvolvimento de uma atitude mental positiva. Ela alcança seu maior escopo de poder por ação física dirigida à realização de um objetivo definido. Toda ação física voluntária é inspirada por um ou mais dos nove motivos básicos. Não é difícil desenvolver fé na realização dos desejos pessoais.

Deixe um indivíduo ser motivado pelo amor e veja com que rapidez essa emoção ganha asas para a ação por meio da fé. E a ação em busca do objeto de amor vem rapidamente a seguir. A ação se torna um trabalho de amor, que é uma das doze riquezas.

Deixe um indivíduo decidir acumular riquezas materiais e veja com que rapidez cada esforço se torna um trabalho de amor. As horas do dia não são suficientes para suas necessidades, e, embora trabalhe muito, ele descobre que a fadiga é amenizada pela alegria da autoexpressão, que é outra das doze riquezas.

Assim, uma a uma as resistências da vida desaparecem para quem preparou a mente para a autoexpressão por meio da fé. O sucesso se torna inevitável. A alegria coroa cada esforço. Essa pessoa não tem nem tempo nem inclinação para o ódio. A harmonia nas relações humanas vem ao natural para ela. Sua esperança de realização é elevada e contínua, porque ela se vê já de posse do objetivo definido. A intolerância foi superada por uma mente aberta.

A autodisciplina torna-se tão natural quanto se alimentar. Essa pessoa entende as outras porque as ama, e por causa desse amor está disposta a compartilhar suas bênçãos. Desconhece o medo, porque todos os temores foram banidos por sua fé. As doze riquezas tornaram-se dela.

Fé é uma expressão de gratidão pelo relacionamento do ser humano com seu Criador. Medo é um reconhecimento das influências do mal e indica falta de crença no Criador.

A maior riqueza da vida é a compreensão dos quatro princípios que mencionei. Esses princípios são conhecidos como os "quatro grandes" desta filosofia porque são a base, as pedras fundamentais da chave mestra para o poder do pensamento e dos segredos mais íntimos da alma. Use essa chave mestra com sabedoria e você será livre.

Algumas pessoas a quem a chave mestra foi revelada

Em uma cabana de madeira de um cômodo no Kentucky, um menininho estava deitado junto à lareira aprendendo a escrever, usando as costas de uma pá de madeira como lousa e um pedaço de carvão como lápis. Uma mulher bondosa permanecia a seu lado, incentivando-o a continuar tentando. A mulher era sua mãe.

O menino se tornou adulto sem revelar qualquer promessa de grandeza. Dedicou-se ao estudo das leis e tentou ganhar a vida nessa profissão, mas o sucesso foi escasso. Tentou ser comerciante, mas logo estava às voltas com o xerife. Entrou no Exército, mas não produziu histórico digno de nota. Tudo em que ele punha a mão parecia murchar e dar em nada.

Então um grande amor entrou em sua vida. A história acabou com a morte da mulher amada, mas a dor daquela morte tocou as profundezas da alma desse homem e fez contato com o poder secreto que vem de dentro.

O homem se apoderou desse poder e o colocou em ação. Isso fez dele presidente dos Estados Unidos. Ele baniu da América a maldição da escravidão. E salvou a União da dissolução em um momento de grande crise nacional. O Grande Emancipador é agora um cidadão do Universo, mas o espírito dessa grande alma – um espírito libertado pelo poder secreto de sua mente – mantém-se atuante.

Então, esse poder que vem de dentro não conhece casta social. Está disponível para o pobre e o humilde como para o rico e o poderoso. Não precisa ser transmitido de uma pessoa para outra. Todos que pensam o têm. Não pode ser posto em ação a seu favor a não ser por você mesmo. Deve ser adquirido dentro de você mesmo, e é gratuito a todos que se apoderam dele.

Que estranho medo é esse que entra na mente humana e corta o acesso ao poder secreto interior que, quando reconhecido e utilizado, alça a pessoa a elevados patamares de realização? Como e por que a vasta maioria se torna vítima de um ritmo hipnótico que destrói a capacidade de usar o poder secreto da própria mente? Como esse ritmo pode ser quebrado? "Como se pode acessar o poder secreto que vem de dentro?", alguns vão perguntar. Vejamos como outros o fizeram.

Um jovem clérigo chamado Frank Gunsaulus havia muito desejava fundar um novo tipo de faculdade. Ele sabia exatamente o que queria, mas o problema era que precisava de US$ 1 milhão. Então decidiu obter o milhão de dólares. Decisão firme, baseada em objetivo definido, foi o primeiro passo de seu plano. Depois ele escreveu um sermão intitulado "O que eu faria com US$ 1 milhão" e anunciou nos jornais que pregaria sobre o tema na manhã do domingo.

No fim do sermão, um homem que o jovem pregador nunca tinha visto levantou-se, foi até o púlpito, estendeu a mão e disse: "Gostei do sermão, pode ir ao meu escritório amanhã de manhã, vou lhe dar o milhão que deseja". O homem era Philip D. Armour, fundador do frigorífico Armour & Company. Sua doação foi o começo da Escola de Tecnologia Armour, uma das melhores do país.

Esse é o resumo do que aconteceu. O que se passou na mente do jovem clérigo que lhe permitiu contatar o poder secreto disponível por intermédio da mente humana é algo que só podemos conjecturar, mas o *modus operandi* pelo qual o poder foi estimulado foi a fé aplicada.

Pouco depois de nascer, Helen Keller foi acometida por uma moléstia que a privou da visão, audição e fala. Com dois dos sentidos mais importantes paralisados para sempre, ela se viu diante de dificuldades que a maioria das pessoas jamais conhece ao longo da vida. Com a ajuda de uma mulher generosa que reconhecia a existência do poder secreto que vem de dentro, Helen Keller começou a entrar em contato com o poder e usá-lo. Com suas palavras, ela dá uma pista clara sobre uma das condições em que o poder pode ser revelado: "Entendida corretamente, a fé é ativa, não passiva. Fé passiva tem a mesma força que a visão de um olho que não enxerga nem procura. A fé ativa não conhece o medo. Ela não aceita que Deus tenha traído suas criaturas e entregue o mundo às trevas. Ela nega o desespero. Reforçado pela fé, o mais fraco dos mortais é mais poderoso que o desastre". Fé amparada por ação foi o instrumento com que Keller superou sua enfermidade de modo a ter uma vida útil.

Uma fonte de poder secreto

Volte nas páginas da história e você vai notar que o desenrolar da civilização leva inevitavelmente às obras de homens e mulheres que abriram a porta para o poder secreto interior, com a fé aplicada como chave mestra. Observe também que grandes realizações sempre nascem da dificuldade, da luta e das barreiras que parecem insuperáveis, obstáculos que só se rendem a uma vontade indomável amparada por fé permanente.

E aqui, em poucas palavras – vontade indomável amparada por fé permanente –, você tem a abordagem de maior importância que leva à descoberta da porta da mente, por trás da qual se esconde o poder interior.

Aqueles que penetram esse poder secreto e o aplicam à solução de problemas pessoais às vezes são chamados de "sonhadores". Mas observe que eles amparam seus sonhos com ação.

Quando Henry J. Kaiser estava construindo a grande represa Hoover, em Nevada, terceirizou uma parte da obra de nivelação para Robert G. LeTourneau. Tudo correu bem nas primeiras semanas, e pareceu que todos iriam ganhar muito dinheiro. Então, como acontece com frequência, a sorte virou quando a máquina encontrou uma camada profunda de granito que não deveria existir.

LeTourneau continuou cumprindo seu contrato, torcendo para a camada de pedra dura não ser muito espessa, dando ao trabalho tudo o que tinha, até o dinheiro acabar. Enquanto isso, testou a profundidade da rocha com perfurações a fundo e descobriu que era demais para ele; por isso, admitiu relutante a derrota temporária.

Os amigos imploraram para que pedisse falência, pois assim ele poderia recomeçar em outra área. "Não!", exclamou, "perdi meu dinheiro na terra e vou pegá-lo de volta da terra; quando isso acontecer, vou pagar cada centavo que devo."

Nessa breve declaração, LeTourneau expressou praticamente tudo de digno de menção que qualquer filosofia do sucesso pode oferecer. Expressou definição de objetivo e fé em sua capacidade de traduzir o propósito em vitória, apesar da derrota.

"Em minha hora de maior aflição", disse LeTourneau, "encontrei meu maior bem na forma de um novo sócio. Coloquei esse parceiro no negócio. Fiz o trabalho braçal, e ele me disse como fazer. Seu nome é Deus." O sócio mandou LeTourneau a lugares estranhos em busca dos meios para recomeçar. Com os trilhos das cortinas da esposa e algumas peças de automóvel descartadas, ele construiu a primeira escavadeira, usando um motor velho como fonte de energia. A coisa funcionou, mas não era grande o bastante para justificar seu uso; por isso LeTourneau vasculhou um ferro-velho até encontrar peças de automóvel melhores e construir a segunda máquina. Essa ficou melhor que a primeira, mas ainda não era adequada para uso comercial.

"O que faço agora, sócio?", perguntou LeTourneau ao principal membro de sua empresa. E teve uma resposta rapidamente. "Peça emprestado o dinheiro de que precisa e construa uma máquina de verdade com peças novas." Foi o que LeTourneau fez. Daquele momento em diante, começou a subir a escada do sucesso em direção à fama e à fortuna. Ele havia encontrado a "semente de benefício equivalente" que veio com a perda em Nevada, cultivou-a e colheu a flor do sucesso.

Primeiro, construiu uma fábrica em Peoria, Illinois, onde o equipamento para remoção de terra era produzido em quantidade. Depois construiu fábrica semelhante em Toccoa, Geórgia. Insatisfeito, construiu uma grande unidade em Vicksburg, Mississippi, depois outra em Longview, Texas.

Fui associado de LeTourneau por dezoito meses, basicamente com o propósito de descobrir em primeira mão o que o fazia "vibrar". Estava disposto a aceitar a afirmação de LeTourneau de que devia seu sucesso à parceria com Deus, mas queria aprender como e quando o grande industrialista entrava em contato com seu sócio sênior.

Certa noite, quando voltávamos para Toccoa depois de uma palestra a bordo do avião particular de LeTourneau, o segredo que ele procurava foi revelado. Pouco depois da decolagem, LeTourneau se jogou em um sofá e em poucos minutos estava ferrado no sono e roncando. Passados uns trinta minutos, ele se ergueu sobre um cotovelo, tirou um caderninho do bolso e escreveu várias linhas. Durante todo o tempo, olhava para o espaço, não para o caderninho.

Isso aconteceu três vezes antes de o avião chegar a Toccoa. Depois da aterrissagem, perguntei a LeTourneau se ele se lembrava de ter feito as anotações na caderneta. "Ora, não!", exclamou ele. "Fiz anotações?" Sacou o caderninho do bolso, olhou por alguns segundos e disse: "É isso! É isso! Estava esperando por isso há mais de um mês. É isso! A informação de que eu precisava para seguir em frente". Entramos em um carro e fomos diretamente para a casa de LeTourneau. Nenhuma palavra foi dita no caminho.

Independentemente do que se possa pensar da afirmação de LeTourneau a respeito da sociedade com o Criador, dois fatos se destacam e não podem ser ignorados em função daquilo em que se acredita ou não. Primeiro, ele fracassou nos negócios e perdeu todo o dinheiro em circunstâncias que poderiam ter desestimulado a pessoa mediana de fazer uma nova tentativa na mesma linha de atuação. Segundo, ele deu a volta por cima e, apesar da falta quase total de educação formal, tornou-se um dos industriais muito ricos e bem-sucedidos da América.

Quanto a como e quando LeTourneau entrava em contato com seu sócio sênior, encontrei a resposta que procurava. O contato era via mente subconsciente de LeTourneau, na qual ele gravava cuidadosamente uma imagem clara do que queria, respaldando-a com fé absoluta de que obteria o que desejava na hora certa. Não há nada de novo no sistema. E ele pode ser aplicado por qualquer um que use definição de objetivo e fé aplicada com a mesma intensidade com que LeTourneau usava.

Uma das características estranhas da fé, quando corretamente compreendida, é que geralmente aparece porque alguma emergência força a pessoa a olhar além do poder do pensamento comum em busca de solução para seus problemas. É durante essas emergências que recorremos ao poder secreto interno que não conhece resistência forte o bastante para derrotá-lo. Emergências como aquela enfrentada pelos 56 homens que deram origem a esta nação quando assinaram a Declaração da Independência.

Aquilo foi fé ativa, corretamente compreendida, porque cada homem que assinou o documento sabia que poderia estar assinando sua sentença de morte. Felizmente, o documento se tornou uma carta de libertação para todos que buscam sua proteção e bem pode se mostrar ainda uma carta de liberdade para o mundo inteiro.

Os benefícios do documento foram proporcionais ao risco assumido pelos homens que o assinaram. Os signatários apostaram a própria vida, fortuna e direito à liberdade, os maiores privilégios de um povo civilizado, e fizeram essa aposta sem reservas mentais.

Um teste de fé

Eis aqui então um teste com o qual as pessoas podem medir sua capacidade de fé ativa. Para ser eficiente, deve se basear na disponibilidade de arriscar o que as circunstâncias pedirem – liberdade, fortuna material e a própria vida. Fé sem risco é uma fé passiva que, como Helen Keller afirmou, "tem a mesma força que a visão de um olho que não enxerga nem procura".

Vamos examinar os históricos de alguns dos grandes líderes que sucederam os signatários da Declaração de Independência, porque a fé deles também era ativa. Eles também descobriram o poder secreto que vem de dentro, recorreram a ele, aplicaram-no e converteram uma vasta selva no "berço da democracia".

Homens como James J. Hill, que empurrou as fronteiras do Oeste e facilitou o acesso ao Atlântico e ao Pacífico por meio de um grande sistema ferroviário intercontinental. Lee De Forest, que aperfeiçoou os meios mecânicos pelos quais a força ilimitada do éter foi dominada e utilizada como meio de comunicação instantânea entre os povos do mundo por meio do rádio. Thomas A. Edison, que adiantou o progresso da civilização em milhares de anos com o aperfeiçoamento da lâmpada elétrica incandescente, do fonógrafo, do cinema e muitas outras invenções úteis que aliviam os fardos da humanidade e contribuem para seu prazer e sua educação.

Esses e outros como eles eram homens de fé ativa. Às vezes os chamamos de gênios, mas eles recusam o tratamento por reconhecer que suas realizações são resultado do poder secreto que vem de dentro e está disponível a todos que o aceitam e usam. Todos nós conhecemos as realizações desses grandes líderes, sabemos as regras de sua liderança, reconhecemos a natureza e o escopo das bênçãos que o trabalho deles concedeu ao povo desta nação e conservamos para o povo a filosofia das realizações individuais pelas quais esses homens ajudaram a fazer de nosso país o mais rico e mais livre do mundo.

Infelizmente, nem todos nós reconhecemos as dificuldades que enfrentaram, os obstáculos que tiveram de superar e o espírito de fé ativa com que desempenharam seu trabalho. Porém, de uma coisa podemos ter certeza: suas realizações foram exatamente proporcionais às emergências que tiveram de superar. Eles enfrentaram a oposição daqueles que mais se beneficiariam de seus esforços, gente que, por falta de fé ativa, sempre vê com ceticismo e dúvida o que é novo e desconhecido.

As emergências da vida sempre levam a bifurcações nas quais os indivíduos são obrigados a escolher uma direção; uma via é a fé, a outra é o medo. O que faz a grande maioria seguir o caminho do medo? A escolha está relacionada à atitude mental.

O indivíduo que escolhe a estrada da fé é aquele que condicionou a mente para acreditar; condicionou-a pouco a pouco, por decisões rápidas e corajosas nas mínimas experiências diárias. O homem que segue a estrada do medo deixou de condicionar a mente para ser positiva.

Em Washington, um homem está sentado em uma cadeira de rodas com uma canequinha e um maço de lápis nas mãos, esmolando. A desculpa para mendigar é ter perdido o movimento das pernas em consequência da paralisia infantil. Seu cérebro não foi afetado. Com exceção das pernas, ele é forte e saudável. Mas sua escolha o levou a tomar a estrada do medo quando acometido pela temível doença, e sua mente se atrofia pelo desuso.

Em outra parte da mesma cidade, outro homem enfrenta as mesmas condições. Ele também perdeu o movimento das pernas, mas sua reação foi muito diferente. Quando chegou à bifurcação em que foi forçado a fazer uma escolha, seguiu pela estrada da fé, e ela o levou diretamente à Casa Branca e à mais elevada posição ao alcance do povo americano. O que ele perdeu com a paralisia dos membros, ganhou pelo uso do cérebro e da vontade, e é preciso registrar que sua condição física não o impediu de maneira alguma de ser um dos homens mais ativos que já ocuparam o posto de presidente.

A diferença entre as situações dos dois homens é muito grande. Mas que ninguém se engane em relação à causa, pois trata-se inteiramente de uma diferença de atitude mental. Um escolhe o medo como seu guia. O outro escolhe a fé.

Quando se analisam as circunstâncias que elevam alguns indivíduos a posições importantes na vida e condenam outros à penúria e à necessidade, é provável que as condições tão distantes reflitam as respectivas atitudes mentais. O indivíduo no alto escolhe a estrada da fé, o que está embaixo escolhe a do medo, e educação, experiência e habilidades pessoais têm importância secundária.

Quando o professor de Thomas A. Edison o mandou para casa depois de três meses de aula com um bilhete para os pais explicando que o menino tinha a mente "prejudicada" e não conseguiria aprender, ele teve a melhor das desculpas para se tornar um proscrito, um inútil, um ninguém, e foi exatamente o que se tornou por um tempo. Fez biscates, vendeu jornais, tentou ofícios com equipamentos e substâncias químicas, até se tornar o que é conhecido como "pau para toda obra", sem ser muito bom em nada.

Então aconteceu alguma coisa na mente de Thomas A. Edison, algo destinado a imortalizar seu nome. Por algum estranho processo que nunca revelou completamente ao mundo, ele descobriu o poder secreto interior, se apoderou dele, organizou-o e pronto! Em vez de homem com um cérebro "prejudicado", tornou-se o proeminente gênio das invenções.

Agora, em qualquer lugar onde vemos uma lâmpada elétrica, ouvimos um fonógrafo ou vemos um filme, devemos lembrar que estamos observando o produto do poder secreto interior que está tão disponível para nós quanto esteve para o grande Edison. Além disso, devemos nos sentir muito envergonhados se, por negligência ou indiferença, não estamos fazendo uso apropriado desse grande poder.

O poder interior

Uma das estranhas características do poder secreto interior é ajudar a obter o que se deseja de verdade, o que é apenas outra forma de dizer que traduz em realidade os pensamentos dominantes do indivíduo. No vilarejo de Tyler, Texas, um garoto entrou em um mercado onde alguns desocupados estavam reunidos em torno de um fogão. Um dos homens olhou para o menino, sorriu e perguntou: "Então, Sonny, o que você vai ser quando crescer?".

"Vou lhe dizer o que vou ser", respondeu o menino. "Vou ser o melhor advogado do mundo, isso é o que vou ser, se você quer saber."

Os desocupados caíram na gargalhada. O menino comprou os alimentos e saiu do mercado sem dizer nada. Mais tarde, quando os desocupados riam, era por motivo diferente, porque o menino se tornara uma autoridade reconhecida no mundo legal, e sua competência era tão grande que ele ganhava mais do que o presidente dos Estados Unidos.

O nome do garoto era Martin W. Littleton. Ele também descobriu o poder secreto dentro da própria mente, e esse poder lhe permitiu estabelecer seus honorários e receber o valor estipulado. Quanto a conhecer as leis, existem milhares de advogados talvez tão competentes quanto Martin W. Littleton, mas poucos obtêm mais do que o sustento, porque não descobriram aquilo que garante o sucesso na profissão, algo que não é ensinado nas faculdades de Direito.

O exemplo pode ser estendido a todas as profissões e atividades humanas. Em toda vocação existem aqueles que chegam ao topo e outros que nunca vão além da mediocridade. Os bem-sucedidos normalmente são chamados de "sortudos". E têm sorte, é claro. Mas estude os fatos e você vai descobrir que a "sorte" deles é o poder secreto interior, que aplicaram por meio da atitude mental positiva, a determinação de seguir pela estrada da fé em vez de ir pela estrada do medo e da autolimitação.

O poder interior não reconhece barreiras permanentes. Transforma a derrota em um desafio para um esforço maior. Remove limitações autoimpostas, como medo e dúvida. E, acima de tudo, vamos lembrar que não deixa marcas negras indeléveis no histórico de ninguém.

Encarado com o poder interior, todo dia traz uma nova oportunidade de realização individual que não precisa de maneira nenhuma ser sobrecarregada pelos fracassos do dia anterior. O poder interior não favorece raça ou credo e não é limitado por nenhum tipo de constância arbitrária que obrigue o indivíduo a permanecer na pobreza por ter nascido na pobreza. É o único meio pelo qual os efeitos da força cósmica do hábito podem ser alterados instantaneamente do negativo para o positivo.

O poder interior não reconhece precedente, não segue regras rígidas e transforma nobres reis nos mais humildes dos homens à sua vontade – vontade deles. Oferece a única e grande estrada para a liberdade pessoal. Recupera a saúde quando todo o resto falha, desafiando abertamente todas as regras da ciência médica moderna. Cura as feridas da tristeza e da decepção, quaisquer que sejam as causas. Transcende toda experiência humana, toda educação, todo conhecimento disponível à humanidade. E seu único preço fixo é a fé inabalável – fé ativa aplicada!

Foi esse poder a inspiração do poeta que escreveu:

Não é estranho que príncipes e reis,
Palhaços que dão cambalhotas em picadeiros de serragem

E pessoas comuns, como você e eu,
Sejam todos construtores da eternidade.

A cada um é dado um livro de regras,
Um bloco de pedra e um saco de ferramentas,
E cada um deve criar, antes de o tempo se esvair,
Um tijolo onde tropeçar ou um degrau para subir.

Procure até encontrar o ponto de abordagem do poder secreto interior e, quando o localizar, terá descoberto seu verdadeiro eu – aquele "outro eu" que faz uso de todas as experiências da vida. Então, se você construir uma ratoeira melhor, escrever um livro melhor ou pregar um sermão melhor, o mundo vai bater à sua porta, reconhecê-lo e recompensá-lo adequadamente, seja você quem for e qualquer que tenha sido a natureza e o escopo de seus fracassos no passado.

E daí que você fracassou no passado?

Também fracassaram em algum momento todos aqueles que reconhecemos como um sucesso estrondoso. Todos conheceram o fracasso de um jeito ou de outro, mas não o chamaram pelo nome; chamaram de "derrota temporária". Com a ajuda da luz que brilha internamente, todas as pessoas realmente grandes reconheceram a derrota temporária exatamente pelo que é – um desafio para maior esforço amparado por mais fé.

Qualquer um pode desistir quando tudo fica difícil. Qualquer um pode se lamentar quando a derrota temporária acontece, mas autocomiseração não faz parte do caráter daqueles que o mundo reconheceu como grandes.

O poder interior não pode ser abordado sentindo-se pena de si mesmo. Não pode ser abordado com medo e timidez. Nem com inveja e ódio. Tampouco com avareza e ganância. Não; seu "outro eu" não presta atenção a nenhum desses negativos. Só se manifesta na mente limpa de todas as atitudes mentais negativas. Prospera na mente guiada pela fé.

Ascensão a partir do fracasso

Lee Braxton, de Whiteville, Carolina do Norte, admite que conheceu a pobreza cedo na vida e com muito esforço conseguiu chegar ao sexto ano na escola. Ele era o décimo de doze filhos e foi obrigado a começar a cuidar de si muito cedo. Seu pai era ferreiro no vilarejo. Ele engraxou sapatos, entregou compras, vendeu jornais, trabalhou em uma confecção de meias, lavou automóveis, foi ajudante de mecânico e se esforçou até ser promovido a supervisor de loja. Lutou muito por cada centímetro percorrido até finalmente se casar, ter casa própria e renda suficiente para garantir uma vida modesta para ele e a família.

Então, o infortúnio atingiu Braxton em cheio. Ele ficou sem renda, e sua casa foi colocada à venda para pagar uma hipoteca. Ele perdeu tudo que tinha, exceto os mais importantes de seus bens – a vontade de recomeçar e a fé em sua capacidade de transformar o infortúnio em vantagem.

Braxton começou imediatamente a procurar a semente de benefício equivalente que acompanha uma derrota temporária e a encontrou em *Think and Grow Rich*. Alguém lhe deu uma cópia do livro. Antes de terminar a leitura, sua atitude mental começou a mudar de negativa para positiva. Quando concluiu o livro, Braxton havia formado um plano para recomeçar e tratou de colocá-lo em prática.

Pelas páginas daquele livro, Lee Braxton foi apresentado à pessoa mais importante do mundo – seu "outro eu". O eu que ele não conhecia. O eu que reconhecia a derrota temporária, mas nunca o fracasso.

A partir da descoberta de seu eu verdadeiro, tudo em que Lee Braxton tocava virava ouro ou coisa ainda melhor. Ele organizou o Primeiro Banco Nacional de Whiteville e se tornou seu primeiro presidente. Depois promoveu e construiu o melhor hotel de Whiteville, uma estrutura moderna que seria um trunfo para qualquer cidade. Organizou uma empresa para o financiamento de automóveis, outra para a venda e distribuição de autopeças e uma concessionária. Depois organizou e promoveu uma loja de instrumentos musicais e construiu e pagou por uma das melhores casas em Whiteville. Foi eleito prefeito, e as pessoas diziam que não havia um só negócio ou profissão na cidade que não obtivesse alguma forma de benefício por sua influência e suas operações comerciais.

O navio da fortuna de Braxton navegava tão tranquilamente que ele decidiu acumular todo o dinheiro que pudesse e se aposentar aos 50 anos. Aposentou-se aos 44, vendeu todas as empresas e começou a prestar serviço gratuito como gerente de rádio e televisão para um evangelista muito conhecido. Em pouco tempo, havia inserido o programa diário do evangelista em centenas de estações de rádio e televisão de quase todas as partes dos Estados Unidos.

Apesar de seu generoso elogio a *Think and Grow Rich*, é justo mencionar que Lee Braxton tinha o essencial para o sucesso antes de ler o livro, assim como você e todo leitor dessa história têm tudo que é essencial para o sucesso de qualquer proporção e natureza que desejem. O livro afastou a mente de Braxton de seu infortúnio e lhe deu a oportunidade de revelar riquezas escondidas que ele tinha no poder da própria mente. Um poder que pode ser transmutado em qualquer coisa material que se queira. O livro informou Lee Braxton sobre a força irresistível que habitava seu cérebro. Ele reconheceu a existência daquele poder, o aceitou e direcionou para os fins que escolheu.

E isso é tudo que existe em qualquer história de sucesso.

Quando AMP (atitude mental positiva) assume o comando, o sucesso está logo ali depois da esquina, e a derrota não é mais do que uma experiência com que o indivíduo pode se motivar para se esforçar mais. Lee Braxton aprendeu essa verdade e lucrou com ela. Ao fazer alguma coisa com o que aprendeu, colocou-se em posição de poder dizer com sinceridade: "Não existe nenhum bem material sob o sol que eu deseje e não possa adquirir".

Braxton fez a vida recompensá-lo nos termos dele, dedicou-se ao tipo de trabalho de que mais gostava e encontrou paz de espírito.

O mundo não precisa de uma nova filosofia de realizações. Precisa é de um novo comprometimento com os antigos princípios já testados que levam de maneira inexorável à descoberta do poder interior que move montanhas.

O poder que gerou grandes líderes em todas as esferas da vida e em todas as gerações ainda está disponível. Pessoas de visão e fé, que empurraram as fronteiras da ignorância, da superstição e do medo, deram ao mundo tudo que conhecemos como civilização.

O poder não se reveste de nenhum mistério e não faz milagres, mas funciona pelas ações humanas diárias e se reflete em toda forma de serviço prestado em benefício da humanidade. É chamado por uma coleção de nomes, mas sua natureza nunca muda, independentemente do nome pelo qual seja conhecido.

O poder só trabalha por um meio, que é a mente. Expressa-se em pensamentos, ideias, planos e propósitos dos indivíduos, e o principal a ser dito sobre ele é que é tão livre quanto o ar que respiramos e tão abundante quando o escopo e o espaço do universo.

Capítulo 9

FORÇA CÓSMICA DO HÁBITO

O hábito é um fio, tecemos um cordão com ele todos os dias e por fim não conseguimos cortá-lo.

– HORACE MANN

Chegamos agora à análise da maior de todas as leis da natureza – a lei da força cósmica do hábito. Descrita de forma breve, a força cósmica do hábito é o método da natureza para fixar todos os hábitos, de modo que prossigam automaticamente depois de acionados – tanto os hábitos humanos quanto os do Universo.

Toda pessoa está onde está e é o que é porque estabeleceu hábitos de pensamento e ação. O propósito desta filosofia é ajudar na formação do tipo de hábito que vai transferir o indivíduo de onde está para onde quer estar na vida.

Todo cientista e muitos leigos sabem que a natureza mantém um equilíbrio perfeito entre todos os elementos de matéria e energia do Universo, que todo o Universo é operado por um sistema inexorável de ordem e hábitos que nunca variam e não podem ser alterados por nenhuma ação humana e que as cinco realidades conhecidas do universo são (1) tempo, (2) espaço, (3) energia, (4) matéria e (5) inteligência, que molda as demais realidades conhecidas em ordem e sistemas com base em hábitos fixos. Esses são os componentes com os quais a natureza cria um grão de areia ou as maiores estrelas a flutuar pelo espaço e todas as outras coisas conhecidas pelo ser humano ou que a mente humana pode conceber.

Essas são as realidades conhecidas, mas nem todo mundo se dedica a – ou se interessa em – averiguar que a força cósmica do hábito é a aplicação particular da energia com que a natureza mantém o relacionamento entre os átomos da matéria, as estrelas e os planetas em seu movimento incessante rumo a um destino desconhecido, as estações do ano, noite e dia, doença e saúde, morte e vida. A força cósmica do hábito é o meio pelo qual todos os hábitos e todas as relações humanas são mantidos em variáveis graus de permanência e pelo qual o pensamento é traduzido em seu equivalente físico em resposta aos desejos e objetivos dos indivíduos.

Essas são verdades passíveis de comprovação, e pode-se considerar sagrado o momento em que se descobre a verdade inegável de que o ser humano é apenas um instrumento por meio do qual poderes superiores aos dele se projetam. Esta filosofia é planejada para levar o indivíduo a essa importante descoberta e capacitá-lo a usar o conhecimento revelado, colocando-se em harmonia com as forças invisíveis do universo que podem levá-lo inevitavelmente para a margem do sucesso do grande rio da vida. O momento dessa descoberta deve facilitar seu acesso à chave mestra para todas as riquezas.

A força cósmica do hábito é a controladora da natureza que coordena, organiza e opera todas as outras leis naturais em ordem e sistema. Portanto, é a maior de todas as forças naturais.

Vemos estrelas e planetas se mover com tanta precisão que os astrônomos podem predeterminar a exata localização e relacionamento entre eles com décadas de antecedência. Vemos as estações do ano irem e virem com a regularidade de um relógio. Sabemos que um carvalho cresce de uma bolota e que um pinheiro cresce da semente de seu ancestral, que uma bolota nunca se engana e produz um pinheiro, nem uma semente de pinheiro produz um carvalho. Sabemos que nada nunca é produzido sem ter antecedentes com algo de semelhante, que a natureza e o propósito dos pensamentos produzem frutos do mesmo tipo, assim como o fogo produz fumaça.

A força cósmica do hábito é o meio pelo qual toda coisa viva é forçada a se tornar parte das influências do ambiente em que vive e se move. Portanto, é evidente que sucesso atrai mais sucesso e fracasso atrai mais fracasso – uma verdade que há muito é conhecida pela humanidade, embora poucos tenham entendido a razão para esse estranho fenômeno.

É sabido que a pessoa que se tornou um fracasso pode se tornar um sucesso notável por associação próxima com quem pensa e age em termos de sucesso, mas nem todo mundo sabe que isso ocorre porque a força cósmica do hábito transmite a "consciência de sucesso" da mente do indivíduo bem-sucedido à do malsucedido quando há um relacionamento próximo. Sempre que duas mentes entram em contato, nasce uma terceira mente semelhante à mais forte das duas. A maioria dos indivíduos bem-sucedidos reconhece essa verdade e admite com franqueza que seu sucesso começou a partir da associação próxima com alguém cuja atitude mental positiva eles adotaram de maneira consciente ou inconsciente.

A força cósmica do hábito é silenciosa, invisível e imperceptível por qualquer um dos cinco sentidos físicos. Por isso não é mais amplamente reconhecida, porque a maioria das pessoas não tenta entender as forças intangíveis da natureza nem se interessa por princípios abstratos. No entanto, esses intangíveis e essas abstrações representam os verdadeiros poderes do universo e são a base real de tudo que é tangível e concreto, a fonte da qual derivam tangibilidade e concretude.

Entenda o princípio funcional da força cósmica do hábito e você não terá dificuldade para interpretar o ensaio sobre compensação de Emerson, porque o tema desse famoso texto é muito semelhante. Sir Isaac Newton também se aproximou do reconhecimento cabal dessa lei quando descobriu a lei da gravidade. Se tivesse ido um pouco além de onde concluiu sua descoberta, poderia ter ajudado a revelar a lei que mantém nossa Terra no espaço e a relaciona sistematicamente a todos os outros planetas no tempo e no espaço, a mesma lei que relaciona seres humanos uns com os outros e cada indivíduo consigo mesmo por meio de seus hábitos de pensamento.

O termo "força do hábito" é autoexplicativo. É uma força que opera por hábitos estabelecidos. Cada ser vivo abaixo da inteligência do ser humano vive, se reproduz e cumpre sua missão terrena em resposta direta ao poder da força cósmica do hábito por intermédio do que chamamos de "instinto". Apenas os humanos têm o privilégio da escolha de seus hábitos de vida, e estes podem ser fixados pelos padrões de pensamento – único privilégio sobre o qual qualquer indivíduo tem completo direito de controle.

Cada indivíduo pode pensar em termos de limitações autoimpostas de medo, dúvida, inveja, ganância e pobreza, e a força cósmica do hábito vai traduzir esses pensamentos em seu equivalente material. Ou pode pensar em termos de opulência e fartura, e a mesma lei vai traduzir seus pensamentos na contraparte física. Dessa maneira, é possível controlar o destino terreno em um grau impressionante – simplesmente exercitando o privilégio de moldar os próprios pensamentos. Uma vez que os pensamentos são moldados em padrões definidos, são assimilados pela força cósmica do hábito e transformados em hábitos permanentes, assim permanecendo a menos e até que sejam suplantados por padrões de pensamento diferentes e mais fortes.

Agora chegamos à consideração de uma das mais profundas de todas as verdades: a maioria dos que alcançam os altos patamares de sucesso raramente chega lá antes de enfrentar alguma tragédia ou emergência que os toca no fundo da alma e os reduz àquela circunstância de vida que chamam de "fracasso". O motivo para esse estranho fenômeno é prontamente reconhecido por quem entende a lei da força cósmica do hábito, consistindo no fato de que os desastres e tragédias da vida servem para romper hábitos estabelecidos do indivíduo – hábitos que em algum momento o levaram aos inevitáveis resultados de fracasso – e assim romper o controle da força cósmica do hábito e permitir a formulação de novos hábitos melhores.

A guerra dentro do eu

Guerras nascem de desajustes nos relacionamentos humanos. Esses desajustes são resultados de pensamentos negativos que cresceram até assumir proporções de massa. O espírito de qualquer nação não é senão a soma dos pensamentos e hábitos dominantes de seu povo.

O mesmo vale para indivíduos, porque o espírito de cada um é determinado pelos hábitos de pensamento dominantes. A maioria dos indivíduos está em guerra de um jeito ou de outro durante toda a vida. Em guerra com os próprios pensamentos e emoções conflitantes. Em guerra nas relações familiares, profissionais e sociais.

Reconheça essa verdade e você vai entender o verdadeiro poder e os benefícios disponíveis àqueles que vivem pela Regra de Ouro, porque essa grande regra o salvará dos conflitos da guerra pessoal. Também vai entender o verdadeiro propósito e os benefícios de um objetivo principal definido, porque, uma vez fixado no consciente pelos hábitos de pensamento, esse objetivo será tomado pela força cósmica do hábito e levado à conclusão lógica por quaisquer meios práticos disponíveis.

A força cósmica do hábito não sugere ao indivíduo o que ele deve desejar, tampouco se os hábitos de pensamento devem ser positivos ou negativos, mas age sobre todos os hábitos de pensamento, cristalizando-os em vários graus de permanência e traduzindo-os nos equivalentes físicos por meio de motivação inspirada para a ação. A força cósmica do hábito fixa os hábitos-pensamentos não só de indivíduos, mas também de grupos e massas de gente, de acordo com o padrão estabelecido pela preponderância de pensamentos dominantes individuais.

A mesma regra se aplica ao indivíduo que pensa e fala em doença. De início ele é visto como hipocondríaco – alguém que sofre com doenças imaginárias –, porém, quando o hábito é mantido, a doença se manifesta ou aparece uma outra muito semelhante. A força cósmica do hábito cuida disso, pois é verdade que qualquer pensamento mantido na mente pela repetição começa imediatamente a se traduzir no equivalente físico por todos os meios práticos disponíveis.

É triste observar que mais de três quartos da população que têm todos os benefícios de um grande país como o nosso passam a vida em pobreza e carência, mas o motivo não é difícil de entender se reconhecemos o princípio da força cósmica do hábito. Pobreza é o resultado direto de uma "consciência de pobreza", que resulta de pensar em termos de pobreza, temer a pobreza e falar sobre pobreza. Se você deseja opulência, dê ordens à sua mente subconsciente para produzir opulência, desenvolvendo assim uma "consciência de prosperidade", e veja com que rapidez sua condição financeira vai mudar.

Primeiro vem a consciência daquilo que você deseja, depois, a manifestação física ou mental de seus desejos. A consciência é de sua responsabilidade. É algo que você deve criar com pensamentos diários ou pela meditação, caso prefira tornar seus desejos conhecidos desse jeito. Assim é possível se aliar com nada menos que o poder do Criador de todas as coisas.

"Cheguei à conclusão", disse um grande filósofo, "de que a aceitação da pobreza ou a aceitação da doença é uma confissão aberta de falta de fé." Fazemos muitas declarações de fé, mas nossos atos desmentem nossas palavras. Fé é um estado mental que só pode se tornar permanente pelas ações. Apenas crença não é suficiente, porque, como disse o grande filósofo, "Fé sem trabalho é morta".

A força cósmica do hábito é criação da natureza. É o único princípio universal pelo qual ordem, sistema e harmonia são implementados em todo o universo, desde a maior estrela a flutuar no céu até os menores átomos da matéria. É um poder igualmente disponível para o fraco e o forte, o rico e o pobre, o doente e o saudável. Fornece a solução para todos os problemas humanos. O principal propósito dos dezessete princípios desta filosofia é ajudar o indivíduo a se adaptar ao poder da força cósmica do hábito por autodisciplina em conexão com a formação de seus hábitos de pensamento.

Os 17 elementos da chave mestra

Vamos agora a uma breve análise dos dezessete princípios para entender a relação com a força cósmica do hábito. Vamos observar que esses princípios estão tão relacionados que se fundem e formam a chave mestra que abre a porta para a solução de todos os problemas.

1. Fazer um esforço extra: esse princípio está em primeiro lugar porque ajuda a condicionar a mente à prestação de serviço útil. Esse condicionamento prepara o caminho para o segundo princípio.
2. Definição de objetivo: com a ajuda desse princípio, é possível dar direção organizada ao princípio de fazer um esforço extra, garantir que siga na direção do objetivo principal e tenha efeito cumulativo. Os dois primeiros princípios sozinhos levam qualquer um bem alto na escada da realização, mas os que pretendem objetivos mais elevados de vida vão precisar de muita ajuda no caminho, e esta está disponível pela aplicação do terceiro princípio.
3. MasterMind: pela aplicação desse princípio é possível começar a experimentar um novo e maior senso de poder que não está disponível à mente individual; o MasterMind resolve as deficiências pessoais do indivíduo e lhe proporciona, quando necessário, qualquer porção do conhecimento acumulado durante eras pela humanidade. Todavia,

esse senso de poder não será completo até se cultivar a arte de receber orientação por meio do quarto princípio.

4. Fé aplicada: com esse elemento, começam-se a sintonizar os poderes da Inteligência Infinita, benefício disponível apenas à pessoa que condicionou a mente para recebê-lo. O indivíduo começa a tomar plena posse de sua mente dominando os medos, as preocupações e dúvidas, reconhecendo sua unicidade com a fonte de todo poder. Os quatro primeiros princípios foram adequadamente chamados de "os quatro grandes" porque podem fornecer mais poder do que a pessoa mediana precisa para ser alçada a grandes alturas de realização pessoal. Mas são adequados apenas para os pouquíssimos que dispõem de outras qualidades necessárias para o sucesso, como a do quinto princípio.
5. Personalidade agradável: essa qualidade permite à pessoa divulgar suas ideias e as de outros. Portanto, é essencial a todos que desejam se tornar a influência orientadora em uma aliança de MasterMind. Observe cuidadosamente como os quatro princípios anteriores tendem a conferir ao indivíduo uma personalidade agradável. Esses cinco princípios podem fornecer estupendo poder pessoal, mas não o suficiente para proteger da derrota, pois derrota é uma circunstância que todo indivíduo enfrenta muitas vezes ao longo da vida; daí a necessidade de compreender e aplicar o sexto princípio.
6. Hábito de aprender com a derrota: perceba que esse princípio começa com a palavra "hábito", significando que deve ser aceito e aplicado sob todas as circunstâncias de derrota. Nesse princípio é possível encontrar esperança suficiente para inspirar o indivíduo a recomeçar quando seus planos se perdem – algo que vai acontecer em um momento ou outro. Observe o quanto a fonte de poder pessoal cresce pela aplicação desses seis princípios. O indivíduo descobre para onde está indo na vida, obtém a cooperação amigável de todos cujos serviços são necessários para alcançar seu objetivo, torna-se

agradável, assegurando a cooperação contínua de outros, desenvolve a arte de recorrer à fonte de Inteligência Infinita e expressar esse poder por meio da fé aplicada e aprende a fazer degraus dos obstáculos de derrota pessoal. Apesar de todas essas vantagens, aquele cujo objetivo principal definido conduz na direção dos mais altos patamares de realização pessoal muitas vezes precisará dos benefícios do sétimo princípio.

7. Visão criativa: esse princípio permite olhar para o futuro, compará-lo ao passado e elaborar novos e melhores planos na oficina da imaginação para atingir as esperanças e metas. Aqui, talvez pela primeira vez, a pessoa pode descobrir seu sexto sentido e começar a recorrer a ele para obter conhecimento não disponível pelas fontes organizadas da experiência humana e do conhecimento acumulado. A fim de assegurar o uso prático desse benefício, deve-se adotar o oitavo princípio.
8. Iniciativa pessoal: esse princípio deflagra a ação e a mantém direcionada para fins definidos. Protege dos hábitos destrutivos da procrastinação, indiferença e preguiça. Uma forma de perceber a importância desse princípio é reconhecer que produz os hábitos referentes aos sete princípios anteriores, porque é óbvio que a aplicação de um princípio não pode se tornar hábito exceto mediante iniciativa pessoal. A importância desse princípio pode ser mais profundamente avaliada pelo reconhecimento de que é o único meio pelo qual o indivíduo pode exercer pleno e completo controle sobre a única coisa que o Criador lhe deu para controlar – o poder de seus pensamentos. Pensamentos não se organizam nem se dirigem por si. Precisam de orientação, inspiração e ajuda que podem ser dadas apenas pela iniciativa pessoal. Contudo, a iniciativa pessoal às vezes é mal direcionada. Portanto, requer a orientação suplementar disponível apenas pelo nono princípio.

9. Pensamento preciso: esse princípio protege o indivíduo não só do mau direcionamento da iniciativa pessoal, mas também de erros de julgamento, deduções e decisões prematuras. Protege ainda da influência das próprias emoções indignas de confiança, modificando-as pelo poder da razão comumente conhecido como "cabeça". O indivíduo que domina esses nove princípios se descobre de posse de tremendo poder, mas poder pessoal pode ser e muitas vezes é perigoso se não for controlado e dirigido pela aplicação do décimo princípio.
10. Autodisciplina: essa qualidade não pode ser adquirida por mera vontade, tampouco rapidamente. É o produto de hábitos cuidadosamente estabelecidos e mantidos, que em muitos casos só podem ser adquiridos mediante anos de muito esforço. Então, chegamos ao ponto em que a força de vontade terá que ser posta em ação, porque autodisciplina é unicamente um produto da vontade. Inúmeros indivíduos conquistaram grande poder pela aplicação dos nove princípios anteriores, mas encontraram o desastre ou levaram outros à derrota por falta de autodisciplina no uso de seu poder. Quando dominado e aplicado, esse princípio confere ao indivíduo controle completo sobre seu maior inimigo – ele mesmo. A autodisciplina deve começar com a aplicação do décimo primeiro princípio.
11. Concentração do esforço: esse é outro produto da vontade. Está tão intimamente relacionado à autodisciplina que os dois foram chamados de "irmãos gêmeos" desta filosofia. A concentração salva o indivíduo da dissipação de energia e ajuda a manter a mente focada no objetivo principal definido até este ser absorvido pelo subconsciente e preparado para a tradução no equivalente físico por meio da força cósmica do hábito. É o olho da câmera da imaginação por meio do qual o desenho detalhado das metas e dos propósitos do indivíduo é registrado no subconsciente; por isso é indispensável. Veja como o poder pessoal cresce pela aplicação desses onze princípios. Contudo,

nem eles são suficientes para todas as circunstâncias da vida; há momentos em que é preciso a cooperação amigável de muita gente, como clientes nas atividades comerciais e profissionais ou votos em uma eleição para cargo público, que podem ser conquistados pela aplicação do décimo segundo princípio.

12. COOPERAÇÃO: esse princípio difere do MasterMind por ser uma relação humana necessária, que pode ser assegurada sem uma aliança baseada na completa fusão de mentes para a conquista de um objetivo definido. Sem a cooperação de outros, não se pode obter sucesso nos patamares mais elevados de realização pessoal, pois cooperação é o meio de maior valor pelo qual um indivíduo pode ampliar o espaço que ocupa na mente de outros, às vezes chamado de "boa vontade". Cooperação amigável traz de volta os clientes do comerciante como compradores fiéis de seus produtos e assegura a clientela do profissional liberal. Por isso é um princípio que pertence definitivamente à filosofia das pessoas bem-sucedidas, seja qual for sua ocupação.
13. ENTUSIASMO: esse estado mental contagiante ajuda a conquistar a cooperação de outras pessoas e, ainda mais importante, inspira o indivíduo a acessar e usar o poder de sua imaginação. Inspira ação também na expressão da iniciativa pessoal e conduz ao hábito da concentração do esforço. Além disso, é uma das qualidades de maior importância em uma personalidade agradável e facilita a aplicação do princípio de fazer um esforço extra. Somado a todos esses benefícios, o entusiasmo dá força e convicção à fala. Entusiasmo é produto do motivo, mas é difícil mantê-lo sem a ajuda do décimo quarto princípio.
14. HÁBITO DA SAÚDE: a boa saúde física proporciona uma estrutura adequada para a operação da mente; portanto, é essencial para o sucesso duradouro, presumindo que "sucesso" deva abarcar todos os requisitos para a felicidade. A palavra "hábito" deve ser destacada de novo porque a boa saúde começa com uma "consciência de saúde",

que só pode ser desenvolvida por hábitos corretos de vida mantidos mediante autodisciplina. A boa saúde é a base para o entusiasmo, e o entusiasmo estimula a boa saúde; então, os dois são como o ovo e a galinha – ninguém pode determinar quem surgiu primeiro, mas todo mundo sabe que ambos são essenciais para a existência um do outro. Saúde e entusiasmo são assim. Ambos são essenciais para o progresso e a felicidade. Agora faça uma nova análise e contabilize o ganho de poder com a aplicação desses quatorze princípios. A proporção é tão estupenda que desafia a imaginação. Mas não é suficiente para garantir proteção contra o fracasso; portanto, temos que acrescentar o décimo quinto princípio.

15. Orçamento de tempo e dinheiro: ah, que dor de cabeça provoca a menção de economizar tempo e guardar dinheiro. Quase todo mundo quer gastar tempo e dinheiro à vontade, mas orçar e economizar, nunca! Porém, independência e liberdade de corpo e alma, os dois grandes desejos de toda a humanidade, não podem se tornar realidade duradoura sem a autodisciplina de um sistema orçamentário estrito. Por isso, esse princípio é essencial na filosofia da realização individual. Agora estamos chegando ao ápice na conquista do poder pessoal. Aprendemos sobre as fontes de poder, como acessá-las e aplicá-las à vontade para qualquer fim desejado; sabemos que esse poder é tão grande que nada pode resistir a ele e que sua aplicação descuidada pode levar à destruição do indivíduo e de terceiros. Então, para direcionar o uso correto do poder, é necessário acrescentar o décimo sexto princípio.
16. Regra de Ouro aplicada: observe a ênfase na palavra "aplicada". Acreditar na solidez da Regra de Ouro não é suficiente. Para ter benefício duradouro e servir de guia no uso do poder pessoal, a Regra de Ouro deve ser aplicada como um hábito em todos os relacionamentos humanos. Não é fácil, mas os benefícios que podem ser alcançados

pela aplicação dessa importante regra de relacionamento humano são dignos do esforço necessário para transformá-la em hábito. As penalidades por não viver de acordo com essa regra são numerosas demais para uma descrição detalhada. Agora alcançamos o auge em poder pessoal e nos munimos com a necessária proteção contra o mau uso. Precisamos então dos meios para tornar esse poder permanente por toda a vida. Devemos culminar esta filosofia, portanto, com o único princípio conhecido pelo qual podemos alcançar o fim desejado – o décimo sétimo e último princípio.

17. FORÇA CÓSMICA DO HÁBITO: esse é o princípio pelo qual todos os hábitos são fixados e se tornam permanentes em graus variados. Como afirmado, é o princípio controlador desta filosofia, no qual os dezesseis princípios anteriores se fundem e do qual se tornam parte. É também o princípio controlador de todas as leis naturais do universo. É o princípio que fixa como hábito a aplicação dos princípios anteriores desta filosofia. Portanto, é o fator de controle do condicionamento da mente do indivíduo para o desenvolvimento e a expressão da consciência de prosperidade tão essencial na conquista do sucesso pessoal. A mera compreensão dos dezesseis princípios anteriores não leva ninguém a conquistar poder pessoal. Os princípios devem ser entendidos e aplicados na forma de hábito estrito, e hábito é o produto da força cósmica do hábito.

A força cósmica do hábito é sinônimo do grande Rio da Vida anteriormente citado várias vezes, pois consiste em potencial positivo e negativo, como todas as formas de energia. A aplicação negativa é chamada de "ritmo hipnótico", porque tem um efeito hipnótico sobre tudo com que entra em contato. Podemos ver seus efeitos, de um jeito ou de outro, em cada ser humano. É o único meio pelo qual a consciência da pobreza é fixada como hábito.

O ritmo hipnótico é o construtor dos hábitos estabelecidos de medo, inveja, ganância, vingança e desejo de algo em troca de nada. Também fixa os hábitos da desesperança e da indiferença. É o construtor do hábito da hipocondria, pelo qual milhões de pessoas sofrem com doenças imaginárias durante toda a vida. Também é o construtor da consciência de fracasso, que mina a autoconfiança de milhões de pessoas. Resumindo, fixa todos os hábitos negativos, sejam quais forem sua natureza ou efeitos. Portanto, é o lado do fracasso do grande Rio da Vida.

O lado do sucesso do grande Rio da Vida, o lado positivo, fixa todos os hábitos construtivos, como definição de objetivo, fazer um esforço extra, aplicar a Regra de Ouro nas relações humanas, e todos os outros que se deve desenvolver e aplicar para obter os benefícios dos dezesseis princípios anteriores desta filosofia.

Aplicação de hábitos

Agora vamos examinar a palavra "hábito". O dicionário Webster dá muitas definições, entre elas, "disposição arraigada ou tendência devido à repetição; costume sugere repetição em vez de tendência para repetir; uso (aplicado apenas a um grupo considerável de pessoas) acrescenta a implicação de aceitação ou existência de longa data; costume e uso com frequência sugerem autoridade; como fazemos muitas coisas mecanicamente pela força do hábito".

A definição do Webster fornece consideráveis detalhes adicionais, mas nada se aproxima da descrição da lei que fixa todos os hábitos; essa omissão se deve sem dúvida ao fato de a força cósmica do hábito não ter sido revelada aos editores do dicionário. Mas observamos uma palavra significativa e importante no verbete – "repetição". É importante porque descreve os meios pelos quais um hábito tem início.

Definição de objetivo, por exemplo, torna-se hábito apenas pela repetição do pensamento, trazendo-o à mente repetidas vezes; a repetida exposição do pensamento à imaginação cria um plano prático para se alcançar o desejo; pela aplicação do hábito da fé em relação ao desejo de forma intensa e repetida, o indivíduo pode se ver já de posse do objeto de desejo antes mesmo de começar a conquistá-lo.

A construção de hábitos positivos voluntários requer a aplicação de autodisciplina, persistência, força de vontade e fé, todas disponíveis para a pessoa que assimilou os dezesseis princípios anteriores desta filosofia. A construção de hábitos positivos voluntários é autodisciplina em sua mais elevada e nobre forma de aplicação.

Todos os hábitos positivos voluntários são produtos de força de vontade direcionada para a conquista de fins definidos. Originam-se do indivíduo, não da força cósmica do hábito. Devem ser enraizados na mente pela repetição de pensamentos e ações até serem assimilados pela força cósmica do hábito e fixados; depois disso, passam a operar automaticamente.

A palavra hábito é importante nesta filosofia de realização individual porque representa a verdadeira causa real das condições econômica, social, profissional, ocupacional e espiritual de todo indivíduo. Estamos onde estamos e somos o que somos por causa de nossos hábitos. E podemos estar onde quisermos e ser o que quisermos apenas com o desenvolvimento e a manutenção de hábitos voluntários. Vemos então que esta filosofia leva inevitavelmente à compreensão e aplicação da lei da força cósmica do hábito – o poder de fixação de todos os hábitos.

O principal objetivo de cada um dos dezesseis princípios anteriores desta filosofia é ajudar no desenvolvimento de uma forma particular e especializada de hábito necessária para capacitá-lo a tomar posse plena de sua mente. Isso também deve se tornar um hábito.

A força da mente está sempre ativa em um ou outro lado do Rio da Vida. O propósito desta filosofia é capacitar o indivíduo a desenvolver e manter hábitos de pensamento e ação que mantenham sua mente concentrada no lado do sucesso. Essa é a única tarefa desta filosofia.

Dominar e assimilar a filosofia, como qualquer outra coisa desejável, tem um preço definido que deve ser pago antes que seus benefícios possam ser apreciados. Esse preço, entre outras coisas, é eterna vigilância, determinação, persistência e vontade para fazer a vida recompensar o indivíduo nos próprios termos em vez de aceitar pobreza, miséria e desilusão.

Há duas maneiras de se relacionar com a vida. Uma é ser o cavalo que a vida cavalga. A outra é ser o cavaleiro que cavalga a vida. A escolha entre cavalo ou cavaleiro é privilégio de cada um, mas uma coisa é certa: quem não escolhe ser cavaleiro da vida por certo será forçado a ser o cavalo. A vida monta ou é montada. Nunca fica imóvel.

Ego e força cósmica do hábito

Como estudante desta filosofia, você está interessado no método pelo qual se pode transmutar o poder do pensamento em seu equivalente físico. Também está interessado em aprender a se relacionar com os outros em espírito de harmonia. Infelizmente, nossas escolas públicas mantêm silêncio sobre essas duas importantes necessidades.

"Nosso sistema educacional", disse o Dr. Henry C. Link, "concentrou-se no desenvolvimento mental e falhou em fornecer a compreensão de como hábitos emocionais e de personalidade são adquiridos ou corrigidos." A declaração tem uma base sólida. O sistema público de ensino falhou na obrigação que o Dr. Link aponta porque a lei da força cósmica do hábito só foi revelada recentemente e ainda não foi reconhecida pela grande massa de educadores.

Todo mundo sabe que praticamente tudo que fazemos, desde que começamos a andar, é resultado de hábito. Andar e falar são hábitos. Nossa maneira de comer e beber é hábito. Nossa atividade sexual é resultado de hábito. Nossos relacionamentos com os outros, positivos ou negativos, resultam de hábitos, mas pouca gente entende por que ou como formamos hábitos.

Hábitos são inseparáveis do ego. Portanto, vamos analisar o assunto tão incompreendido do ego. Antes, vamos reconhecer que o ego é o meio pelo qual a fé e todos os outros estados mentais operam.

Ao longo desta filosofia, deu-se grande ênfase à distinção entre fé passiva e fé ativa. O ego é o meio de expressão de toda ação. Portanto, precisamos saber alguma coisa sobre sua natureza e suas possibilidades para podermos fazer o melhor uso dele. Temos que aprender a estimular o ego a agir e controlá-lo e guiá-lo para alcançar fins definidos. Acima de tudo, temos que livrar a mente do erro popular de acreditar que o ego é só um meio de expressão da vaidade. A palavra "ego" é de origem latina e significa "eu". Também conota uma força propulsora que pode ser organizada e usada para traduzir o desejo em fé por meio de ação.

O incompreendido poder do ego

O ego tem relação com todos os fatores da personalidade. Portanto, é óbvio que está sujeito a desenvolvimento, orientação e controle por meio de hábitos voluntários – hábitos que desenvolvemos deliberadamente e com propósito predeterminado.

Um grande filósofo que dedicou a vida ao estudo do corpo e da mente humanos nos deu uma base prática para o estudo do ego quando afirmou:

> Seu corpo, esteja ele vivo ou morto, é uma coleção de milhões de pequenas energias que nunca morrem. Essas energias são separadas e individuais; às vezes atuam com algum grau de harmonia.
>
> O corpo humano é um mecanismo de vida à deriva, capaz, mas não acostumado a controlar as forças internas; contudo, o hábito, a

vontade, o cultivo ou um entusiasmo especial (mediante emoção) podem comandar essas forças para a realização de algo importante. Sabemos, por diversos experimentos, que o poder de comando e uso das energias pode ser cultivado em alto grau por qualquer pessoa.

O ar, a luz solar, o alimento e a água ingeridos são agentes de uma força que vem do céu e da terra. Você flutua preguiçosamente sobre a maré das circunstâncias para cumprir sua vida diária, e as oportunidades de ser melhor do que é passam longe do seu alcance e vão embora.

A humanidade é limitada por tantas influências que desde tempos imemoriais nenhum esforço real foi feito para se obter controle sobre os impulsos que andam à solta no mundo. Foi, e ainda é, mais fácil deixar as coisas serem como são do que exercer a vontade para direcioná-las.

Todavia, a linha divisória entre sucesso e fracasso encontra-se no estágio onde cessa a flutuação à deriva. (Onde começa a definição de objetivo.)

Somos todos criaturas de emoções, paixões, circunstâncias e acidente. O que a mente será, o que o coração será, o que o corpo será, são problemas moldados ao sabor da vida, mesmo quando se dá atenção especial a algum deles. Se você parar e pensar um pouco, vai se surpreender com o quanto de sua vida foi mero flutuar à deriva.

Olhe para qualquer ser vivo e veja seus esforços para se expressar. As árvores projetam os galhos para a luz do sol, se esforçam para absorver o ar pelas folhas e embaixo da terra projetam as raízes em busca de água e dos minerais de que precisam para se alimentar. Isso é o que se chama de vida inanimada, mas representa uma força que vem de alguma fonte e opera por algum propósito.

Não há lugar no mundo onde não se encontre energia. O ar é tão carregado que no norte frio o céu brilha com raios boreais; em qualquer lugar onde temperaturas gélidas cedem ao calor, as condições elétricas podem alarmar os humanos. A água é apenas uma união líquida de gases carregada de energias elétrica, mecânica e química; qualquer uma delas é capaz de produzir grande serviço e grande prejuízo à humanidade.

Até o gelo, em seu estágio mais frio, tem energia, pois não é submetido, tampouco imóvel; sua força despedaça montanhas rochosas em fragmentos. Ingerimos energia na água que bebemos, no alimento que comemos e no ar que respiramos. Nenhuma molécula química está livre dela, nenhum átomo pode existir sem ela. Somos uma combinação de energias individuais.

O ser humano consiste em duas forças, uma tangível, na forma do corpo físico, com suas variadas células individuais que somam bilhões, cada uma dotada de inteligência e energia; e outra intangível, na forma do ego – o ditador organizado do corpo, que pode controlar pensamentos e ações do indivíduo.

A ciência nos ensina que a porção tangível de um humano que pesa em torno de 72 quilos é composta por cerca de dezessete elementos químicos, todos conhecidos. A proporção é a seguinte:

43,09 quilos de oxigênio;
17,2 quilos de carbono;
6,8 quilos de hidrogênio;
1,8 quilo de nitrogênio;
2 quilos de cálcio;
170 gramas de cloro;
110 gramas de enxofre;
90 gramas de potássio;
85 gramas de sódio;
7 gramas de ferro;
70 gramas de flúor;

50 gramas de magnésio;
40 gramas de silício;
Traços de arsênico, iodo e alumínio.

As partes tangíveis de um humano valem poucos centavos e podem ser compradas em qualquer indústria química moderna. Junte a esses elementos químicos um ego bem-desenvolvido e adequadamente organizado e controlado, e o valor pode ser aquele que o proprietário estipular. O ego é um poder que não pode ser comprado por preço nenhum, mas pode ser desenvolvido e moldado em qualquer padrão desejado. O desenvolvimento acontece por meio de hábitos organizados e tornados permanentes pela lei da força cósmica do hábito, que executa os padrões de pensamento desenvolvidos pelo pensamento controlado.

Uma das principais diferenças entre os indivíduos que dão contribuições valiosas à humanidade e os que só ocupam espaço no mundo é a diferença de ego, porque o ego é a força propulsora por trás de toda ação humana. Liberdade de corpo e mente – o maior desejo de todas as pessoas – está disponível na exata proporção do desenvolvimento e uso do ego. Toda pessoa que se relaciona de maneira apropriada com seu ego tem liberdade na medida que desejar.

O ego determina como o indivíduo se relaciona consigo e com todas as outras pessoas. Mais importante do que isso, determina a política do indivíduo em relação a seu corpo e sua mente, que padroniza todas as esperanças, metas e propósitos pelos quais ele fixa seu destino na vida.

O ego é o maior bem ou maior deficiência, de acordo com a relação que se tem com ele. O ego é a soma dos hábitos de pensamento enraizados pela operação automática da lei da força cósmica do hábito. Toda pessoa bem-sucedida tem um ego bem-desenvolvido e altamente disciplinado, mas existe um terceiro fator associado que determina o potencial do ego para o bem ou mal – o autocontrole necessário para capacitar o indivíduo a transmutar seu poder em qualquer objetivo desejado.

Treinamento do ego

O ponto de partida para todas as realizações individuais é um plano pelo qual o ego possa ser inspirado por uma consciência de sucesso. Para alcançar o sucesso, deve-se desenvolver o ego de modo adequado, gravando nele o objeto de desejo e removendo dele todas as limitações, medos e dúvidas que levem à dissipação de seu poder.

Autossugestão (ou auto-hipnose) é o meio pelo qual se pode associar o ego a qualquer ritmo de vibração desejado e carregá-lo com a realização de qualquer objetivo desejado. A menos que você compreenda o pleno significado da autossugestão, vai perder a parte mais importante dessa análise, porque o poder do ego é fixado inteiramente pela aplicação da autossugestão. Quando a autossugestão alcança o *status* de fé, o ego se torna ilimitado em poder.

O ego é mantido vivo e ativo e obtém poder pela alimentação constante. Como o corpo físico, o ego não pode sobreviver e não sobrevive sem alimento. O ego deve ser alimentado com definição de objetivo. Deve ser alimentado com iniciativa pessoal. Deve ser alimentado com ação contínua por meio de planos bem organizados. Deve ser apoiado com entusiasmo. Deve ser alimentado com atenção controlada dirigida para um fim definido. Deve ser controlado e dirigido com autodisciplina. Deve ser apoiado com pensamento preciso.

Ninguém pode se tornar senhor de alguma coisa ou de alguém antes de se tornar senhor do próprio ego. Ninguém pode se expressar em termos de opulência enquanto a maior parte de sua força de pensamento se dedica à manutenção de uma consciência de pobreza. Todavia, não se deve perder de vista que muitos indivíduos de grande riqueza começaram na pobreza – fato que sugere que esse e todos os outros medos podem ser vencidos e impedidos de interferir no ego. Na palavra ego podem ser encontrados os efeitos associados de todos os princípios da realização individual descritos nesta filosofia, coordenados em uma unidade de poder que pode ser dirigida para qualquer fim desejado por qualquer indivíduo que seja pleno senhor do próprio ego.

Estamos preparando você para aceitar o fato de que o poder mais importante à sua disposição – o poder que determinará o sucesso ou fracasso de suas ambições de vida – é representado por seu ego. Também o estamos preparando para se livrar da velha crença que associa ego a narcisismo, vaidade e vulgaridade e para reconhecer a verdade de que o ego é tudo que existe no indivíduo além de poucos centavos em substâncias químicas que compõem o corpo.

Sexo é a grande força criativa humana. Está definitivamente associado ao ego e é parte importante dele. Sexo e ego ficaram com má reputação por estarem sujeitos à aplicação destrutiva e pelos abusos cometidos por ignorantes desde o início da história da humanidade.

O egoísta que se torna ofensivo pela expressão do ego ainda não descobriu como se relacionar com o ego de maneira construtiva. A aplicação construtiva do ego se faz pela expressão de esperanças, desejos, metas, ambições e planos, não por arrogância ou narcisismo. O lema de quem tem o ego sob controle é "Atos, não palavras".

O desejo de ser grande, de ser reconhecido e ter poder pessoal é saudável, mas a expressão da crença na própria grandeza é indicativa de que a pessoa não se apoderou do ego e permitiu que o ego se apoderasse dela. Você pode ter certeza de que essas proclamações de grandeza não passam de um manto para esconder o medo do complexo de inferioridade.

Ego e atitude mental

Entenda a verdadeira natureza do ego e você entenderá a verdadeira importância do princípio do MasterMind. Além disso, reconhecerá que, para serem mais úteis a você, os membros da sua aliança de MasterMind devem estar em total afinidade com suas esperanças, metas e seus objetivos; não devem competir com você de maneira nenhuma. Devem estar dispostos a subordinar os próprios desejos e personalidade inteiramente à conquista de seu objetivo de vida principal.

Os membros de seu grupo de MasterMind devem confiar em você e em sua integridade e respeitá-lo. Devem estar dispostos a ressaltar suas virtudes e desculpar suas falhas. Devem estar dispostos a permitir que você seja quem é e viva sua vida à sua maneira o tempo todo. Por fim, devem receber de você alguma forma de benefício que o torne tão benéfico a eles quanto eles são para você. Deixar de cumprir este último requisito dará fim ao poder de sua aliança de MasterMind.

Seja qual for o tipo de associação, as pessoas se relacionam por causa de um ou vários motivos. Não pode haver relacionamento humano permanente baseado em motivo vago ou indefinido, ou sem qualquer motivo. Deixar de reconhecer essa verdade já significou a diferença entre penúria e opulência para muita gente.

O poder que domina o ego e o reveste com as contrapartes materiais dos pensamentos que lhe dão forma é a força cósmica do hábito. Essa lei não confere qualidade ou quantidade ao ego, apenas pega o que encontra e traduz no equivalente físico.

Pessoas de grandes realizações são e sempre foram aquelas que alimentaram, moldaram e controlaram deliberadamente o próprio ego sem deixar nenhuma parte da tarefa à sorte, ao acaso ou às vicissitudes da vida. Toda pessoa pode controlar a formação do próprio ego, mas não o que acontece depois, assim como o fazendeiro não tem a ver com o que acontece com a semente que plantou na terra. A lei inexorável da força cósmica do hábito faz toda coisa viva perpetuar-se em sua espécie, e isso se traduz na imagem que um indivíduo pinta de seu ego em seu equivalente físico, exatamente como uma bolota se desenvolve como um carvalho sem nenhuma ajuda externa, exceto o tempo.

A partir dessas afirmações, é óbvio que não estamos apenas defendendo o desenvolvimento e controle deliberado do ego, mas também avisando que ninguém pode ter esperança de sucesso em nenhuma vocação sem controle sobre o ego. Então, para que não haja mal-entendidos quanto ao que se quer dizer com "ego desenvolvido de forma adequada", a seguir vamos descrever brevemente os fatores de desenvolvimento.

Primeiro, o indivíduo deve se aliar a uma ou mais pessoas que coordenem a mente com a dele em um espírito de perfeita harmonia para a realização de um objetivo definido; essa aliança deve ser contínua e ativa. Além disso, deve ser composta por pessoas cujas qualidades espirituais e mentais, educação, sexo e idade sejam adequados para colaborar na realização do propósito da aliança. Por exemplo, o MasterMind de Andrew Carnegie era integrado por mais de vinte homens, e cada um trazia alguma qualidade mental, experiência, educação ou conhecimento diretamente relacionado ao objetivo da aliança e que não era oferecido por nenhum dos outros membros.

Segundo, tendo se colocado sob a influência dos associados certos, o indivíduo deve adotar e colocar em prática um plano definido para alcançar o objetivo da aliança. O plano pode ser uma composição de planos criada pelo esforço conjunto de todos os membros do MasterMind. Se um plano não é bom ou é inadequado, deve ser suplementado ou substituído até que se encontre um que funcione. Porém, não deve haver mudança no propósito da aliança.

Terceiro, o indivíduo deve se afastar da influência de toda pessoa e circunstância com a menor tendência para fazê-lo se sentir inferior ou incapaz de alcançar o objetivo. Egos positivos não crescem em ambientes negativos. Nesse ponto não pode haver desculpa para concessão, e deixar de observar esse detalhe será fatal para as chances de sucesso. A linha que separa aqueles que exercem qualquer forma de influência negativa deve ser traçada tão claramente que feche a porta com firmeza contra tais pessoas, quaisquer que sejam os laços de amizade, obrigação ou sangue.

Quarto, é preciso fechar a porta com firmeza contra todos os pensamentos sobre qualquer experiência ou circunstância do passado que possam provocar sensação de inferioridade ou infelicidade. Egos fortes e vitalizados não podem se desenvolver em meio a pensamentos de experiências passadas desagradáveis. Egos vigorosos prosperam na esperança e desejo de objetivos ainda não alcançados. Pensamentos são os tijolos com que o ego humano é construído. A força cósmica do hábito é o cimento que une esses tijolos de forma permanente por meio de hábitos fixos. Quando o trabalho fica pronto, ele representa nos mínimos detalhes a natureza dos pensamentos que entraram no prédio.

Quinto, é preciso se cercar de todos os meios físicos possíveis para gravar na mente a natureza e o propósito do ego em desenvolvimento. Por exemplo, um escritor deve montar seu espaço de trabalho em uma sala decorada com fotos e obras dos autores de sua área que ele mais admira. Deve encher suas estantes com livros relacionados ao trabalho que faz. Deve cercar-se de todos os meios possíveis para transmitir ao ego a autoimagem exata que espera expressar, porque essa imagem é o padrão que a lei da força cósmica do hábito vai captar, a imagem que traduzirá em seu equivalente físico.

Sexto, o ego desenvolvido de modo adequado está o tempo todo sob controle do indivíduo. Não deve haver superinflação do ego na direção da egomania com que alguns homens se destroem. A egomania se revela como um desejo insano de controlar os outros pela força. Exemplos impressionantes desse tipo de homem são Adolph Hitler, Benito Mussolini e o *kaiser*. No desenvolvimento do ego, um lema pode ser: "Nem muito nem pouco de nada". Quando os homens começam a querer controlar os outros ou começam a acumular grandes somas de dinheiro que não podem ou não querem usar de forma construtiva, pisam em terreno perigoso. Esse tipo de poder cresce por conta própria e logo escapa ao controle.

A natureza equipou os humanos com uma válvula de segurança para esvaziar o ego e aliviar a pressão de sua influência quando o indivíduo ultrapassa certos limites no desenvolvimento do ego. Emerson chamou-a de lei da compensação; seja qual for o nome, ela opera com exatidão inexorável. Napoleão Bonaparte começou a morrer por causa de seu ego destroçado no dia em que chegou à ilha de Santa Helena. Pessoas que param de trabalhar e se aposentam de todo tipo de atividade depois de terem levado uma vida ativa geralmente definham e morrem em pouco tempo. Se continuam vivas, costumam sentir-se miseráveis e infelizes. Um ego saudável está sempre em uso e sob total controle.

Sétimo, o ego passa por mudanças constantes para melhor ou pior devido à natureza dos hábitos de pensamento do indivíduo. Os dois fatores que forçam essas mudanças são o tempo e a força cósmica do hábito.

Tempo para crescer

Agora quero chamar a atenção para a importância do tempo como um fator na operação da força cósmica do hábito. Assim como as sementes plantadas na terra precisam de períodos definidos para germinar, se desenvolver e crescer, também as ideias, os impulsos de pensamento e os desejos plantados na mente requerem períodos de tempo para a força cósmica do hábito dar-lhes vida e ação.

Não há meios adequados para descrever ou predeterminar com exatidão o tempo necessário para a transformação de um desejo em seu equivalente físico. A natureza e intensidade do desejo e as circunstâncias relacionadas são fatores determinantes do tempo necessário para a transformação do estágio do pensamento em estágio físico. O estado mental conhecido como fé é tão favorável à rápida transformação do desejo em seu equivalente físico que se tornou conhecido por fazer a mudança de modo quase instantâneo.

O ser humano amadurece fisicamente em cerca de vinte anos, mas mentalmente, ou seja, em termos de ego, precisa de 35 a 60 anos para chegar à maturidade. Isso explica por que as pessoas raramente começam a acumular riquezas em grande abundância ou construir um histórico de realizações importantes em outras áreas antes dos 50 anos de idade.

O ego capaz de inspirar a conquista e conservação de grande riqueza material necessariamente foi submetido à autodisciplina, com a qual o indivíduo adquire autoconfiança, definição de objetivo, iniciativa pessoal, imaginação, precisão de julgamento e outras qualidades sem as quais ego algum tem o poder de conquistar e conservar riqueza em abundância. Essas qualidades vêm do uso apropriado do tempo. Observe que não estamos falando de passar do tempo. Mediante a operação da força cósmica do hábito, os padrões de pensamento de cada indivíduo, sejam negativos, sejam positivos, sejam de opulência, sejam de pobreza, entremeiam-se ao ego e lá recebem uma forma permanente que determina a natureza e a extensão das condições espirituais e físicas.

O ego por trás do sucesso

Ali pelo começo da depressão econômica de 1929, a proprietária de um pequeno salão de beleza reservou uma sala nos fundos de seu estabelecimento para um homem idoso que precisava de um lugar para dormir. O homem não tinha dinheiro, mas tinha considerável conhecimento sobre os métodos de fabricação de cosméticos.

A dona do salão deu ao homem um lugar para dormir e lhe ofereceu a oportunidade de pagar pelo quarto fabricando cosméticos que ela usava no trabalho. Logo os dois entraram em uma aliança de MasterMind destinada a garantir independência financeira de ambos. Primeiro se tornaram sócios com o objetivo de produzir cosméticos a serem vendidos de casa em casa; a mulher forneceu o dinheiro para as matérias-primas, o homem entrou com o trabalho. Depois de alguns anos, o MasterMind dos dois se mostrou tão lucrativo que decidiram torná-lo permanente pelo casamento, não obstante a diferença de mais de 25 anos de idade.

O homem havia atuado na indústria dos cosméticos na maior parte da vida adulta, nunca com sucesso. A moça mal conseguia se sustentar com o salão de beleza. A feliz combinação gerou um poder que nenhum dos dois conhecia antes da aliança, e começaram a ter sucesso financeiro.

No início da depressão, o casal manufaturava os cosméticos em uma salinha e vendia os produtos pessoalmente de porta em porta. No fim da crise, uns oito anos depois, produziam cosméticos em uma grande fábrica que haviam comprado, tinham mais de cem funcionários fixos e mais de quatro mil agentes vendendo os produtos pelo país. Nesse período acumularam uma fortuna de mais de US$ 2 milhões, não obstante atuarem durante anos de depressão, quando luxos como cosméticos naturalmente eram difíceis de vender.

O casal superou a carência financeira pelo resto da vida. Além disso, conquistou liberdade financeira com o mesmo conhecimento e as mesmas oportunidades que cada um tinha antes da aliança de MasterMind, quando ambos eram castigados pela pobreza.

Gostaríamos de poder revelar o nome dessas duas pessoas interessantes, mas as circunstâncias da aliança e a natureza da análise que vamos agora apresentar nos impedem. Mesmo assim, temos a liberdade de descrever o que consideramos a fonte da impressionante realização, examinando cada circunstância do relacionamento do ponto de vista de um analista sem preconceitos, que busca apenas apresentar uma imagem verdadeira dos fatos.

O motivo que uniu essas duas pessoas em uma aliança de MasterMind foi de natureza econômica. A mulher já havia sido casada com um homem que não ganhava o sustento da casa e a abandonou com um filho pequeno. O homem também já havia sido casado. Não havia o menor indício da emoção do amor como motivo para o casamento. O motivo foi um desejo mútuo de liberdade econômica.

A empresa e a casa elegante onde o casal mora são totalmente dominados pelo homem idoso, que acredita sinceramente ser responsável pelos bens. A residência tem móveis caros, mas ninguém, nem mesmo os convidados, tem permissão para usar o piano ou sentar-se em uma das cadeiras da sala de estar sem convite especial do "amo e senhor" da mansão.

A sala de jantar principal é equipada com mobília requintada, inclusive uma mesa comprida adequada para ocasiões formais, mas a família nunca pode usá-la em outras ocasiões. Fazem as refeições na sala de café da manhã, e nada pode ser servido à mesa em momento algum, exceto os pratos escolhidos pelo "senhor". Um jardineiro cuida dos jardins, mas ninguém tem permissão para cortar uma flor sem autorização especial do chefe da casa.

As conversas da família são conduzidas inteiramente pelo chefe da casa, e ninguém pode intervir, nem mesmo para fazer uma pergunta ou um comentário, a menos que ele convide. A esposa não fala nunca, a menos que seja claramente convidada a isso, e seu discurso é muito breve e cuidadosamente pensado para não irritar seu "senhor".

A empresa deles é uma corporação legal, e o homem é o presidente da companhia. Ele tem um escritório requintado, mobiliado com uma mesa imensa entalhada à mão e cadeiras estofadas. Na parede em frente à mesa há um enorme retrato a óleo dele, quadro que o homem contempla, às vezes por uma hora, com óbvia aprovação.

Quando fala dos negócios, particularmente do sucesso incomum durante a pior depressão do país, o homem assume crédito total por tudo que foi conquistado e nunca menciona o nome da esposa no que se refere aos negócios. Embora vá à empresa todos os dias, a esposa não tem escritório nem mesa. Ela pode ser encontrada andando entre os empregados ou ajudando uma das moças do empacotamento, tão despretensiosa quanto se fosse uma funcionária comum assalariada.

O nome do homem está em todos os pacotes de mercadoria que saem da fábrica. Está impresso em letras garrafais em todos os caminhões de entrega da firma e aparece igualmente grande em cada catálogo de vendas e anúncio publicado. A total ausência do nome da esposa é notável.

O homem acredita que construiu a empresa, que a comanda, que o negócio não poderia funcionar sem ele. A verdade é justamente o contrário. Seu ego construiu a empresa e a comanda, mas o negócio poderia continuar funcionando tão bem ou até melhor sem sua presença, porque foi a esposa que desenvolveu aquele ego, e ela poderia ter feito a mesma coisa por qualquer outro homem em circunstâncias semelhantes.

Com paciência, sabedoria e o propósito já mencionado, a esposa submergiu sua personalidade por completo na do marido e pouco a pouco nutriu o ego dele com o tipo de alimento que removeu todos os traços do antigo complexo de inferioridade oriundo de uma vida inteira de privação e fracasso. Ela hipnotizou o marido e o fez acreditar que era um grande magnata dos negócios.

Qualquer que fosse o ego que o homem pudesse ter tido antes de ser influenciado pela esposa esperta, ele havia morrido de inanição. Ela reavivou, nutriu, alimentou e desenvolveu o ego do marido em um poder de proporções estupendas, não obstante a natureza anômala e a falta de habilidade do homem nos negócios.

Na verdade, toda a política, todas as jogadas e todo o avanço da empresa foram resultado das ideias da esposa, plantadas na mente do marido com tamanha sagacidade que ele não identificou a fonte. De fato ela é o cérebro da empresa, ele é só a vitrine, mas a combinação é imbatível, como comprovam as impressionantes conquistas financeiras.

A forma como essa mulher se apagou por completo é uma prova não só de autocontrole absoluto, como também de sabedoria, porque ela provavelmente sabia que talvez não obtivesse os mesmos resultados sozinha ou por quaisquer outros métodos que adotasse. Essa mulher tem pouca educação formal, e não sabemos como ou onde ela aprendeu o suficiente sobre a operação da mente humana para ter a inspiração de fundir sua personalidade na do marido a fim de desenvolver o ego que agora ele tem. Talvez a intuição natural de muitas mulheres tenha sido responsável pelo procedimento bem-sucedido. O que quer que tenha sido, essa esposa fez um excelente trabalho, que serviu aos fins que ela buscava, trazendo-lhe segurança econômica.

Cuidado e alimentação do ego

Aqui está então a evidência de que a principal diferença entre pobreza e riqueza é apenas a diferença entre um ego dominado por um complexo de inferioridade e um ego dominado por um sentimento de superioridade. Esse homem idoso poderia ter morrido pobre e sem teto caso uma mulher sagaz não tivesse fundido sua mente com a dele a fim de alimentar seu ego com pensamentos e crença em sua capacidade de obter opulência.

Essa é uma conclusão da qual não há como fugir. E esse caso é apenas um de muitos que poderiam ser citados como prova de que o ego humano deve ser alimentado, organizado e dirigido para fins definidos caso se queira ter sucesso em qualquer esfera da vida.

A chave está em suas mãos

Você tem agora, nos dezessete princípios desta filosofia, tudo que é necessário para se apoderar da chave mestra. Você agora está de posse de todo o conhecimento prático usado por indivíduos bem-sucedidos desde a aurora da civilização até o presente.

Esta é uma filosofia de vida completa – suficiente para todas as necessidades humanas. Ela guarda o segredo para a solução de todos os problemas humanos. E foi apresentada em termos que a mais humilde das pessoas pode entender.

Você pode não ter a pretensão de se tornar mundialmente famoso, mas pode e deve aspirar a se tornar útil a fim de poder ocupar tanto espaço no mundo quanto seu ego deseje. Toda pessoa acaba se tornando parecida com aquelas que causaram impressão mais profunda em seu ego. Somos todos criaturas de imitação e naturalmente buscamos imitar os heróis que escolhemos. Essa é uma característica natural e saudável. De fato, afortunada é a pessoa cujo herói é uma pessoa de grande fé, porque admirar um herói traz alguma coisa da natureza heroica que se admira.

Para concluir, vamos resumir o que foi dito sobre o ego chamando atenção ao fato de que ele representa a área do jardim fértil da mente onde se pode desenvolver todos os estímulos que inspiram fé ativa ou, ao deixar de desenvolver tais estímulos, permitir que o solo produza uma safra negativa de medo, dúvida e indecisão que levará ao fracasso.

A porção de espaço que você vai ocupar no mundo é agora uma escolha sua. A chave mestra das riquezas está em suas mãos. Você está diante do último portão que o separa do sucesso que deseja. O portão não vai se abrir sem que você assim exija. Você deve usar a chave mestra, apoderando-se dos dezessete princípios desta filosofia. Você agora tem à disposição uma filosofia de vida completa, suficiente para a solução de cada problema individual.

Esta é uma filosofia de princípios; as combinações desses princípios são responsáveis pelo sucesso individual em toda ocupação ou vocação. Todavia, muitos podem ter usado a filosofia com sucesso sem reconhecer os dezessete princípios pelos nomes que demos a eles. Nenhum fator essencial para a realização bem-sucedida foi omitido. A filosofia abarca todos e os descreve em palavras e comparações compreensíveis pela maioria das pessoas.

Trata-se de uma filosofia concreta, que raramente toca em abstrações, só quando necessário. É livre de termos acadêmicos e frases que com excessiva frequência servem apenas para confundir a pessoa comum.

O propósito geral da filosofia é capacitar o indivíduo para ir de onde está para onde deseja chegar, econômica e espiritualmente, preparando-o para desfrutar da vida abundante que o Criador pretendeu que todas as pessoas tivessem. Esta filosofia leva à obtenção de "riquezas" no sentido mais amplo e pleno da palavra, incluindo as doze riquezas mais importantes.

O mundo foi imensamente enriquecido por filosofias abstratas desde o tempo de Platão, Sócrates, Copérnico, Aristóteles e muitos outros pensadores do mesmo calibre até Ralph Waldo Emerson e William James. Agora o mundo tem uma filosofia completa e concreta de realização individual que fornece os meios práticos pelos quais uma pessoa pode se apoderar da própria mente e direcioná-la para a obtenção de paz, harmonia nas relações humanas, segurança econômica e a vida mais plena conhecida como felicidade.

Não como pedido de desculpa, mas a título de explicação, devo chamar sua atenção para o fato de, ao longo da análise dos dezessete princípios, termos enfatizado os mais importantes pela referência constante. A repetição não foi acidental. Foi deliberada e necessária devido à tendência humana de não se impressionar com novas ideias ou novas interpretações de antigas verdades.

A repetição também foi necessária devido à inter-relação dos dezessete princípios, conectados como os elos de uma corrente, cada um ligado e integrado ao princípio anterior e posterior. Por fim, temos de reconhecer que a repetição de ideias é um dos princípios básicos da pedagogia eficiente e cerne de toda publicidade que funciona. Portanto, não é só justificada, mas também necessária como meio de progresso humano.

Quando assimilar esta filosofia, você terá uma educação melhor que a da maioria das pessoas com curso superior. Você terá em seu poder todo o conhecimento útil organizado pelas experiências dos indivíduos mais bem-sucedidos que este país já produziu e o terá de uma forma que possa entender e aplicar. Contudo, lembre-se de que a responsabilidade pelo uso apropriado desse conhecimento é sua. A mera obtenção do conhecimento não vai servir de nada. O uso é o que conta.

Capítulo 10

AUTODISCIPLINA

Quem adquire a habilidade de tomar plena posse de sua mente pode tomar posse de tudo mais a que tem justo direito.

– Andrew Carnegie

Vamos agora revelar os métodos pelos quais se pode tomar posse da própria mente. Começamos com a citação de um homem que comprovou a veracidade de sua afirmação por suas impressionantes realizações. Os que o conheceram melhor, que trabalharam de perto com ele, dizem que seu traço de caráter mais proeminente era ter tomado plena posse da própria mente ainda muito jovem e nunca ter abdicado do direito de pensar os próprios pensamentos.

Que realização! E que bênção seria se todos pudessem dizer com sinceridade: "Sou senhor do meu destino, capitão da minha alma". O Criador provavelmente pretendia que assim fosse. Do contrário, os humanos não estariam limitados ao direito de controle sobre um único poder – o poder dos próprios pensamentos.

Passamos a vida buscando liberdade de corpo e mente, mas a maioria nunca a encontra. Por quê? O Criador forneceu os meios pelos quais o ser humano pode ser livre e concedeu a todos o acesso a esses meios; também inspirou cada um com motivos propulsores para a conquista da liberdade. Por que então os seres humanos passam a vida aprisionados em uma gaiola que eles mesmos criam, quando a chave da porta está facilmente a seu alcance? A gaiola da pobreza, a gaiola da saúde ruim, a gaiola do medo, a gaiola da ignorância.

O desejo de liberdade de corpo e mente é universal, mas pouca gente o realiza, porque a maioria procura por toda parte, menos na única fonte de onde ele pode vir – dentro da própria mente. O desejo de riqueza também é universal, mas a maioria nunca sequer enxerga as verdadeiras riquezas da vida porque não reconhece que todas começam na própria mente. As pessoas procuram poder e fama a vida inteira sem conquistar nenhum dos dois porque não reconhecem que a verdadeira fonte de ambos está na própria mente.

O mecanismo da mente é um sistema profundo de poder organizado que só pode ser liberado por um meio – a severa autodisciplina. A mente devidamente disciplinada e direcionada para fins definidos é um poder irresistível que não reconhece a realidade da derrota permanente. Ela organiza a derrota e a converte em vitória, transforma obstáculos em degraus, atrela seu vagão a uma estrela e usa as forças do Universo para alcançar todos os seus desejos.

Quem se domina pela autodisciplina nunca pode ser dominado por outros. A autodisciplina é uma das doze riquezas, mas é muito mais; é um pré-requisito importante para a conquista de todas as riquezas, inclusive liberdade de corpo e mente, poder, fama e todas as coisas materiais que chamamos de riqueza.

Autodisciplina é o único meio pelo qual se pode focar a mente em um objetivo principal definido até a força cósmica do hábito absorver o padrão desse propósito e começar a traduzi-lo em seu equivalente material. É a chave para o poder volitivo e para as emoções do coração, porque é o meio pelo qual essas duas coisas podem ser dominadas e equilibradas uma em relação à outra e dirigidas para fins definidos em pensamento preciso. É a força diretriz para a manutenção de um objetivo principal definido. É a origem da persistência e dos meios pelos quais se pode desenvolver o hábito de realizar planos e propósitos. É o poder com o qual todos os hábitos de pensamento são padronizados e mantidos até serem absorvidos pela força cósmica do hábito e levados a seu clímax lógico. É o meio pelo qual se pode ter pleno e completo controle da própria mente e dirigi-la para quaisquer fins desejados.

A autodisciplina é indispensável em qualquer liderança. É o poder pelo qual se pode fazer da própria consciência uma colaboradora e guia, em vez de uma conspiradora. É a policial que, pelo controle de todos os medos, libera a mente para a expressão da fé. É o que limpa a mente para a expressão da imaginação e da visão criativa.

A autodisciplina acaba com a indecisão e a dúvida. Ajuda o indivíduo a criar e manter a consciência de prosperidade essencial para a acumulação de riquezas materiais e a consciência de saúde necessária à manutenção da boa saúde física. Além disso, opera inteiramente pelo sistema mental. Portanto, vamos examinar esse sistema para entender os fatores que o compõem.

Os 10 fatores do mecanismo do pensamento

A mente opera por meio de dez fatores, alguns dos quais funcionam de forma automática, enquanto outros devem ser dirigidos por esforço voluntário. A autodisciplina é o único meio para essa direção. Os dez fatores são:

1. Inteligência Infinita: fonte de todo poder de pensamento, opera automaticamente, mas pode ser organizada e dirigida para fins específicos pela definição de objetivo. A Inteligência Infinita pode ser comparada a um grande reservatório de água que transborda continuamente em pequenos riachos que fluem em muitas direções, dando vida a toda vegetação e a

todas as coisas vivas. A porção da corrente que dá vida ao ser humano também proporciona o poder do pensamento.

O cérebro pode ser comparado à torneira, enquanto a água que flui por ela representa a Inteligência Infinita. O cérebro não gera o poder do pensamento, apenas recebe esse poder da Inteligência Infinita e aplica a quaisquer fins que o indivíduo deseje.

Lembre-se de que esse privilégio do controle e da direção do pensamento é a única prerrogativa sobre a qual o indivíduo foi dotado de domínio completo. Pode usá-lo para construir ou destruir. Pode direcioná-lo com definição de objetivo ou pode negligenciar esse direcionamento, como preferir. O exercício desse grande privilégio é alcançado apenas pela autodisciplina.

2. Mente consciente: a mente do indivíduo funciona por meio de dois departamentos. Um é conhecido como seção consciente; o outro, como seção subconsciente. É opinião de psicólogos que as duas seções são comparáveis a um *iceberg*: a porção visível acima da superfície da água representa a mente consciente; a porção invisível embaixo d'água representa a mente subconsciente. Portanto, é óbvio que o consciente – a porção com que acionamos nosso poder de pensamento de maneira consciente e voluntária – é apenas uma pequena porção do todo, não mais que um quinto do poder mental disponível.

O subconsciente funciona de modo automático. Desempenha todas as funções necessárias à construção e manutenção do corpo físico, mantém o coração batendo para fazer circular o sangue, assimila os alimentos por um sistema químico perfeito e os distribui em forma líquida para todo o corpo, remove células desgastadas e as substitui por novas, elimina bactérias prejudiciais à saúde, cria novos seres pela fusão das células de protoplasma (material formativo de embriões animais) fornecido pelos machos e fêmeas de organismos vivos. Essas e muitas outras funções essenciais são executadas pela seção subconsciente da mente, que além disso serve de elo entre a mente consciente e a Inteligência Infinita.

Ela pode ser comparada à torneira da mente consciente, pela qual, mediante autodisciplina, pode-se ativar mais poder de pensamento. Ou pode ser comparada a um rico jardim onde pode ser plantada e germinada a semente de qualquer ideia desejada.

A importância do subconsciente pode ser estimada pelo reconhecimento de que é o único meio de abordagem voluntária da Inteligência Infinita. Portanto, é o veículo pelo qual todas as preces são transmitidas e todas as respostas às preces são recebidas. É o meio que traduz o objetivo principal definido em seu equivalente material, um processo que consiste inteiramente em guiar o indivíduo no uso apropriado dos recursos naturais para alcançar seus objetos de desejo.

O subconsciente age sobre todos os impulsos de pensamento, levando todos os pensamentos moldados pelo consciente à conclusão lógica, mas dá preferência aos pensamentos inspirados por sentimentos como a emoção do medo ou da fé; daí a necessidade de autodisciplina como um meio de fornecer ao subconsciente apenas pensamentos ou desejos que levem à realização do que se deseja. O subconsciente dá preferência também aos pensamentos dominantes da mente – aqueles criados pela repetição de ideias ou desejos. Esse fato explica a importância de adotar um objetivo principal definido e a necessidade de fixar esse objetivo (mediante autodisciplina) como um pensamento dominante.

3. Força de vontade: chefe de todos os departamentos da mente, tem o poder de modificar, trocar ou equilibrar todos os hábitos de pensamento, e suas decisões são finais e irrevogáveis, exceto por ela mesma. É o poder que controla as emoções do coração e está sujeito à direção apenas por autodisciplina. Pode ser comparada ao presidente de um conselho de

diretores cujas decisões são finais. Recebe ordens da mente consciente, mas não reconhece nenhuma outra autoridade.

4. Razão: juíza da mente consciente, pode julgar todas as ideias, planos e desejos e fará isso se dirigida pela autodisciplina. Contudo, suas decisões podem ser deixadas de lado pela força de vontade ou modificadas pelo poder das emoções quando a vontade não interfere. Vamos ressaltar aqui que todo pensamento preciso requer a cooperação da razão, embora seja um requisito que no máximo uma a cada dez mil pessoas observe. Isso explica a existência de tão poucos pensadores precisos. A maior parte do que se chama de pensamento é obra das emoções sem a influência orientadora da autodisciplina, sem relação com a força de vontade e com a razão.

5. Emoções: fonte da maioria das ações da mente e da maioria dos pensamentos liberados pelo consciente. As emoções são trapaceiras e indignas de confiança e podem ser muito perigosas se não forem modificadas pela razão orientada pela vontade.

Porém, a faculdade das emoções não deve ser condenada por ser inconfiável, pois é a fonte de todo entusiasmo, imaginação e visão criativa; com autodisciplina, pode ser dirigida para o desenvolvimento desses elementos essenciais da realização individual. A direção pode ocorrer mediante a modificação das emoções pelas faculdades da vontade e da razão.

O pensamento preciso não é possível sem completo domínio das emoções. O domínio é alcançado colocando-se as emoções sob o controle da vontade, preparando-as para serem direcionadas para quaisquer fins que a vontade possa ditar, modificando-as quando necessário pela faculdade da razão. O pensador preciso não tem opiniões e não toma decisões que não foram submetidas às faculdades da vontade e da razão e por elas aprovadas. Usa as emoções para inspirar a criação de ideias por meio da imaginação, mas refina as ideias por meio da vontade e da razão antes da aceitação final. Isso é autodisciplina da mais alta ordem. O procedimento é simples, mas não é fácil de seguir e nunca é seguido, exceto pelo pensador preciso que age mediante iniciativa pessoal.

As mais importantes das doze riquezas – (1) atitude mental positiva, (2) harmonia nas relações humanas, (3) liberdade do medo, (4) esperança de realização, (5) capacidade de ter fé, (6) mente aberta em todos os assuntos e (7) boa saúde física – são acessíveis apenas por uma direção estrita e pelo controle de todas as emoções. Isso não significa que as emoções devam ser suprimidas, mas sim controladas e dirigidas para fins definidos.

As emoções podem ser comparadas ao vapor de uma caldeira, cujo poder consiste na liberação e direcionamento por um motor. Vapor descontrolado não tem poder e, ainda que controlado, deve ser liberado por um regulador, dispositivo mecânico que corresponde à autodisciplina no que se refere a controle e liberação de poder emocional.

As emoções mais importantes e mais perigosas são (1) sexo, (2) amor e (3) medo. São as que produzem a maior parte das atividades humanas. Amor e sexo são criativos; quando controlados e direcionados, inspiram com imaginação e visão criativa de proporções estupendas. Sem controle e direção, podem levar o indivíduo a se perder em tolices destrutivas.

6. IMAGINAÇÃO: oficina onde são moldados e formados todos os desejos, ideias, planos e objetivos, bem como os meios para alcançá-los. Por meio de uso organizado e autodisciplina, a imaginação pode ser desenvolvida até o *status* de visão criativa.

Contudo, assim como as emoções, a imaginação é traiçoeira e indigna de confiança se não for controlada e dirigida pela autodisciplina. Sem controle, costuma dissipar o poder do pensamento em atividades inúteis, impraticáveis e destrutivas que não precisam ser mencionadas em detalhes aqui. Imaginação descontrolada é o ingrediente de que são feitos os devaneios.

O controle da imaginação começa pela adoção de definição de objetivo baseada em planos definidos. O controle é completado por hábitos severos de autodisciplina que dão direção às emoções, porque o poder destas é o que inspira a imaginação à ação.

7. Consciência: guia moral da mente, com objetivo principal de modificar as metas e propósitos do indivíduo para que possam se harmonizar com as leis morais da natureza e da humanidade. Irmã gêmea da razão, à qual proporciona discriminação e orientação quando esta tem dúvida.

A consciência funciona como um guia cooperativo apenas enquanto é respeitada e seguida. Se for negligenciada ou suas determinações forem rejeitadas, acabará se tornando uma conspiradora em vez de guia, oferecendo-se para justificar os hábitos mais destrutivos do indivíduo. Dada a natureza dupla da consciência, é necessário que o indivíduo a direcione por meio de severa autodisciplina.

8. Sexto sentido: estação transmissora da mente, envia e recebe automaticamente as vibrações do pensamento. Meio pelo qual todo impulso de pensamento conhecido como intuição é recebido. Intimamente relacionado ao subconsciente, talvez seja parte dele. O sexto sentido é o meio pelo qual a visão criativa opera e todas as ideias basicamente novas são reveladas. É o maior bem da mente de todos os indivíduos reconhecidos como gênios.

9. Memória: arquivo do cérebro onde são guardados todos os impulsos de pensamento, todas as experiências e todas as sensações que chegam pelos cinco sentidos físicos. Pode ser o arquivo de todos os impulsos de pensamento que chegam à mente pelo sexto sentido, embora todos os psicólogos discordem disso. A memória é traiçoeira e indigna de confiança a menos que seja organizada e dirigida pela autodisciplina.

10. Cinco sentidos: são os braços físicos do cérebro, pelos quais ele entra em contato com o mundo exterior e adquire informação. Os sentidos físicos não são confiáveis, por isso precisam de constante autodisciplina. Sob qualquer tipo de atividade emocional intensa, os sentidos se tornam confusos e indignos de confiança.

Os cinco sentidos podem ser enganados pelo tipo mais simples de truque de prestidigitação e são enganados diariamente pelas experiências comuns da vida. Sob a emoção do medo, os cinco sentidos muitas vezes criam fantasmas monstruosos que não existem além da imaginação, e não há fato da vida que não exagerem ou distorçam quando o medo prevalece.

Controle dos hábitos de pensamento

Assim descrevemos de maneira breve os dez fatores que integram as atividades mentais humanas. Fornecemos informação suficiente relacionada ao mecanismo da mente para indicar com clareza a necessidade de autodisciplina em sua manipulação e uso. A autodisciplina é obtida pelo controle de hábitos de pensamento. O termo "autodisciplina" refere-se apenas ao poder do pensamento, porque toda disciplina pessoal deve acontecer na mente, embora seus efeitos possam influir nas funções do corpo.

Você está onde está e é o que é por causa de seus hábitos de pensamento. Os hábitos de pensamento estão sujeitos ao seu controle. São as únicas circunstâncias da vida sobre as quais você tem completo controle, e este é o mais profundo de todos os fatos da vida, porque prova claramente que o Criador reconheceu a possibilidade dessa grande prerrogativa. Do contrário, não teria feito dela a única circunstância sobre a qual os humanos detêm controle exclusivo.

Mais evidências de que o Criador quis dar aos humanos o direito indiscutível de controle sobre seus hábitos de pensamento foram reveladas pela lei da força cósmica do hábito – meio pelo qual hábitos de pensamento são fixados e se tornam permanentes e automáticos, operando sem esforço voluntário do indivíduo. Por ora, estamos interessados apenas em chamar atenção para o fato de o Criador ter dotado o maravilhoso mecanismo conhecido como cérebro de um aparato pelo qual todos os hábitos de pensamento são absorvidos e ganham expressão automática. Autodisciplina é o princípio pelo qual se pode moldar voluntariamente os padrões de pensamento para harmonizá-los com seus objetivos e metas.

Tal privilégio traz pesada responsabilidade, pois é o que determina, mais que tudo, a posição que cada indivíduo ocupa na vida. Se o privilégio é negligenciado e o indivíduo fracassa em voluntariamente criar hábitos que levem à realização de propósitos definidos, as circunstâncias da vida além de sua capacidade de controle farão o serviço – e que serviço extremamente porco costuma ser esse.

Cada pessoa é um amontoado de hábitos. Alguns criados por ela mesma, outros involuntários. Os hábitos são compostos por medos, dúvidas, preocupações, ansiedades, ganância, superstições, inveja e ódio. Autodisciplina é o único meio pelo qual os hábitos de pensamento podem ser controlados e direcionados até serem absorvidos e ganharem expressão automática pela força cósmica do hábito. Pense nisso com cuidado, porque essa é a chave do seu destino mental, físico e espiritual.

Você pode organizar seus hábitos de pensamento, e eles o conduzirão à realização de qualquer objetivo desejado ao seu alcance. Ou pode permitir que as circunstâncias incontroláveis da vida criem seus hábitos de pensamento, e eles o conduzirão de maneira irresistível à margem do fracasso do grande Rio da Vida.

Você pode manter a mente voltada para o que deseja da vida e obter exatamente isso. Ou pode alimentá-la com pensamentos sobre aquilo que não deseja, e sua mente, também de forma implacável, trará exatamente isso. Seus hábitos de pensamento evoluem com o alimento que sua mente recebe. Isso é tão certo quanto que a noite segue o dia.

Acorde, levante e acelere a mente em sintonia com as circunstâncias da vida que seu coração deseja. Acione os plenos poderes da sua vontade e assuma o controle total de sua mente. É a sua mente! Ela lhe foi dada como uma serva para realizar seus desejos. E ninguém pode entrar nela ou influenciá-la em nenhum grau sem seu consentimento e sua cooperação. Que fato profundo é esse.

Lembre-se disso quando as circunstâncias sobre as quais você parece não ter controle começarem a agir e irritá-lo. Lembre-se disso quando medo, dúvida e preocupação começarem a se instalar no quarto vazio de sua mente. Lembre-se disso quando o medo da pobreza começar a se instalar no espaço de sua mente que deveria estar preenchido por uma consciência de prosperidade. Lembre-se também da autodisciplina, único método pelo qual qualquer pessoa pode assumir a plena posse da própria mente.

Você não é um verme criado para rastejar pela terra. Se fosse, teria sido dotado dos meios físicos para rastejar em vez de andar sobre duas pernas. Seu corpo foi criado para que possa ficar em pé, andar e pensar no caminho a seguir até a mais alta realização que seja capaz de conceber. Por que se contentar com menos? Por que insultar o Criador com indiferença ou negligência no uso de sua dádiva mais preciosa – o poder de sua mente?

Acesse o seu inesgotável poder mental

Os poderes potenciais da mente humana ultrapassam o limite da compreensão. Um dos grandes mistérios que resiste através dos tempos é a negligência do homem em reconhecer e usar esses poderes como um meio de moldar seu destino terreno.

A mente foi sabiamente dotada de um portal de acesso à Inteligência Infinita por meio do subconsciente; esse portal foi concebido de forma que pode ser aberto para uso voluntário mediante o estado mental chamado de fé. A mente é dotada de imaginação, que permite a criação de meios de traduzir esperança e propósito em realidades físicas. É dotada das aptidões estimulantes de desejo e entusiasmo, com as quais planos e propósitos podem ser postos em prática. É dotada de força de vontade, com a qual planos e propósitos podem ser mantidos indefinidamente.

A mente é dotada de fé, com a qual a vontade e o raciocínio podem ser subjugados enquanto o cérebro é direcionado para a força orientadora da Inteligência Infinita. Pelo sexto sentido, a mente está preparada para a conexão direta com outras mentes (mediante o MasterMind), podendo assim acrescentar ao próprio poder as forças estimulantes de outras mentes, o que é de grande eficiência no estímulo da imaginação.

A mente é dotada de razão, pela qual fatos e teorias podem ser combinados em hipóteses, ideias e planos. Tem o poder de se projetar em outras mentes pelo que é conhecido como telepatia. É dotada do poder de dedução, pelo qual pode prever o futuro a partir da análise do passado. Essa capacidade explica por que o filósofo olha para trás a fim de poder ver o futuro.

A mente é equipada com meios de seleção, modificação e controle da natureza dos pensamentos, dando ao indivíduo o privilégio de construir o próprio caráter conforme qualquer padrão desejado e o poder de determinar o tipo de pensamentos que dominarão sua mente. É dotada de um maravilhoso sistema de arquivo para receber, gravar e recuperar todo pensamento expressado, conhecido como memória; esse sistema maravilhoso classifica e arquiva automaticamente pensamentos relacionados de tal forma que a recuperação de um pensamento específico leva à recuperação de pensamentos associados.

A mente é dotada do poder da emoção, pelo qual pode estimular à vontade o corpo para qualquer ação desejada. Tem o poder de funcionar em segredo e em silêncio, garantindo assim a privacidade de pensamento em todas as circunstâncias. Tem uma capacidade ilimitada de receber, organizar, armazenar e expressar conhecimento sobre todos os assuntos nos campos da física e da metafísica, no mundo exterior e interior.

A mente tem o poder de auxiliar na manutenção da boa saúde física e aparentemente é a única fonte de cura de doenças físicas, sendo todas as outras fontes meras contribuintes; mantém um sistema perfeito de reparo e manutenção do corpo – esse sistema funciona de modo automático. A mente mantém e opera automaticamente um maravilhoso sistema de substâncias químicas pelo qual converte alimento em combinações adequadas para a manutenção e reparo do corpo. Opera automaticamente o coração e a corrente sanguínea que distribui o alimento pelo corpo e remove todo o material descartado e as células mortas.

A mente tem o poder da autodisciplina, pelo qual pode formar qualquer hábito desejado e mantê-lo até que seja absorvido pela força cósmica do hábito e dotado de expressão automática. É o ponto de convergência no qual o ser humano pode comungar com a Inteligência Infinita por meio de prece (ou qualquer forma de desejo expresso ou definição de objetivo) pelo simples processo de abertura do portal de acesso ao subconsciente pela fé.

A mente é a única produtora de todas as ideias, todas as ferramentas, todas as máquinas e todas as invenções mecânicas da humanidade para o conforto material. É a única fonte de toda felicidade e toda infelicidade, de pobreza e riqueza de toda natureza possível, e dedica sua energia à expressão de qualquer coisa que a domine pelo poder do pensamento.

É a fonte de todas as relações e todas as formas de intercurso humanas; construtora de amizades e criadora de inimigos, conforme é direcionada. Tem o poder de resistência e autodefesa contra todas as circunstâncias e condições externas, embora nem sempre as possa controlar.

A mente não tem limitações dentro do razoável (ou seja, nenhuma limitação exceto o que entra em conflito com as leis da natureza), apenas aquelas que o indivíduo aceite por falta de fé. De fato, o que a mente pode conceber e acreditar, a mente pode alcançar.

Tem o poder de mudar de uma disposição de ânimo para outra à vontade. Portanto, não há por que sofrer danos irreparáveis por qualquer tipo de desencorajamento. A mente pode relaxar no esquecimento temporário do sono e se preparar para um começo revigorada em poucas horas. Quanto mais controlada, direcionada para fins definidos e usada de modo voluntário, mais forte e mais confiável torna-se a mente.

Pode converter som em música que relaxa e descansa o corpo e a alma. Pode enviar o som da voz humana para o outro lado da Terra em uma fração de minuto. Pode fazer crescer duas folhas de grama onde antes crescia uma. Pode construir uma impressora que recebe um rolo de papel em uma extremidade e entrega um livro impresso e encadernado na outra em questão de minutos. Pode acionar a luz à vontade, a qualquer hora do dia, bastando apertar um botão. Pode transformar água em energia a vapor e vapor em energia elétrica.

A mente pode controlar a temperatura e criar fogo pela fricção de dois gravetos. Pode produzir música pelo deslizar de cerdas de crina de cavalo por cordas feitas das entranhas de um gato. Pode localizar com precisão qualquer ponto geográfico pela observação da posição dos astros. Pode aproveitar a lei da gravidade no lugar do trabalho de homens e animais de maneiras numerosas demais para serem mencionadas. Pode construir um avião que transporta seres humanos pelo ar em segurança. Pode construir uma máquina que penetra o corpo humano com luz e fotografa os ossos e tecidos moles sem feri-los.

Tem o poder da clarividência, com o qual pode discernir objetos físicos não presentes ou visíveis a olho nu. Pode limpar a selva e transformar o deserto em um jardim produtivo. Pode controlar as ondas dos mares e transformá-las em energia para a operação de maquinário. Pode produzir vidro inquebrável e transformar polpa de madeira em tecido. Pode transformar os obstáculos do fracasso em degraus de realização. Pode construir uma máquina capaz de detectar mentiras. Pode medir com precisão qualquer círculo pelo menor fragmento de seu arco. Pode produzir borracha a partir de substâncias químicas. Pode reproduzir a imagem de qualquer objeto material via televisão, sem auxílio do olho humano.

Pode determinar o tamanho, peso e componentes do Sol, a mais de 150 milhões de quilômetros, pela análise dos raios de luz. Pode criar um olho mecânico que detecta a presença de aviões, submarinos ou qualquer objeto físico a centenas de quilômetros. Pode selar hermeticamente qualquer tipo de alimento e conservá-lo por prazo indefinido. Pode gravar e reproduzir qualquer som, inclusive a voz humana, com a ajuda de uma máquina e um pedaço de cera.

Pode registrar e reproduzir imagens de qualquer tipo de movimento físico com a ajuda de um pedaço de vidro e uma tira de celuloide. Pode construir uma máquina que viaja pelo ar, chão ou debaixo d'água. Pode construir uma máquina que abre caminho pela mais densa floresta, esmagando árvores como se fossem pés de milho. Pode construir uma pá que ergue tantas toneladas de terra por minuto quanto dez homens moveriam em um dia. Pode usar os polos magnéticos do norte e do sul da Terra para determinar a direção de forma precisa com a ajuda de uma bússola.

Grande e poderosa é a mente do homem, e ainda vai realizar façanhas que farão todas as coisas citadas acima parecer ninharias.

Pensamentos negativos levam à autodestruição

Apesar de todo o espantoso poder da mente, a grande maioria das pessoas não tenta assumir o controle da própria mente e se expõe a medos ou dificuldades que não existem fora de sua imaginação. O arqui-inimigo da humanidade é o medo!

Tememos a pobreza em meio à grande abundância de riquezas. Tememos a doença, apesar do engenhoso sistema que a natureza nos deu para manutenção, reparo e conservação automática do corpo. Tememos a crítica, quando não há críticos além daqueles que instalamos em nossa mente por meio do uso negativo da imaginação. Tememos a perda do amor de amigos e parentes, embora saibamos muito bem que nossa conduta pode ser o suficiente para manter o amor em todas as circunstâncias comuns do relacionamento humano.

Tememos a velhice, quando deveríamos aceitá-la como um meio de maior sabedoria e compreensão. Tememos a perda da liberdade, mesmo sabendo que liberdade é uma questão de relacionamentos harmoniosos com os outros. Tememos a morte, quando sabemos que ela é inevitável e que, portanto, está além do nosso controle. Tememos o fracasso, sem reconhecer que cada fracasso traz com ele a semente de um benefício equivalente. E temíamos os raios, até Franklin, Edison e mais alguns indivíduos raros, que ousaram se apossar da própria mente, provarem que os raios são uma forma de energia física que pode ser usada para o benefício da humanidade.

Em vez de abrir a mente por meio da fé para receber orientação da Inteligência Infinita, a fechamos hermeticamente com todos os tons e graus concebíveis de limitações autoimpostas baseadas em medos desnecessários. Sabemos que o ser humano é o senhor de todas as outras criaturas vivas do planeta, mas deixamos de olhar em volta e aprender com os pássaros no ar e os animais na selva que até o mais estúpido dos animais foi sabiamente suprido de alimento e todas as coisas necessárias a sua existência pelo plano universal que torna todos os medos infundados e tolos.

Reclamamos de falta de oportunidade e protestamos contra aqueles que se atrevem a tomar posse da própria mente, sem reconhecer que todo indivíduo dono de uma mente sólida tem o direito e o poder de dar a si mesmo todos os bens materiais de que precise ou possa usar. Tememos o desconforto da dor física, sem reconhecer que é uma linguagem universal pela qual o indivíduo é alertado sobre males e perigos que precisam de correção.

Por causa dos nossos medos, vamos ao Criador com preces por miudezas que poderíamos e deveríamos resolver por conta própria, depois desistimos e perdemos a fé (se é que algum dia a tivemos) quando não obtemos os resultados que pedimos, sem reconhecer nosso dever de oferecer preces de gratidão pelas bênçãos abundantes que recebemos graças ao poder da nossa mente.

Falamos e pregamos sobre pecado, sem reconhecer que o maior de todos os pecados é a perda da fé em um Criador onisciente que deu a seus filhos mais bênçãos que um pai terreno jamais pensa em dar a sua prole. Transformamos as invenções em ferramentas de destruição no que chamamos educadamente de "guerra", depois protestamos quando a lei da compensação retribui com fome e depressões econômicas. Abusamos do poder da mente de maneiras numerosas demais para serem mencionadas porque não reconhecemos que esse poder pode ser controlado pela autodisciplina e usado para atender às nossas necessidades.

Assim vivemos a vida toda, comendo as cascas e jogando fora os grãos da abundância.

A arte do pensamento preciso

Antes de sair da análise da autodisciplina, que lida inteiramente com o mecanismo do pensamento, vamos descrever rapidamente alguns dos fatos e hábitos de pensamento para podermos cultivar a arte do pensamento preciso.

1. Todo pensamento (positivo, negativo, bom, mau, preciso, impreciso) tende a se revestir de seu equivalente físico e o faz inspirando o indivíduo com ideias, planos e meios para alcançar os fins desejados por meios naturais e lógicos. Depois que o pensamento sobre qualquer assunto se torna um hábito e é absorvido pela força cósmica do hábito, o subconsciente trata de levá-lo à conclusão lógica, valendo-se da ajuda de qualquer meio natural disponível. Talvez não seja uma verdade literal que "pensamentos são coisas", mas é verdade que pensamentos criam todas as coisas, e as coisas que criam são réplicas impressionantes dos padrões de pensamento dos quais se originam. Algumas pessoas acreditam que todo pensamento liberado dá início a uma série interminável de vibrações com as quais o indivíduo que o liberou mais tarde terá que lidar; que os seres humanos nada mais são do que um reflexo físico de pensamento posto em ação e cristalizado pela Inteligência Infinita. Também é crença de muitos que a energia com que os humanos pensam não é mais do que uma diminuta porção da Inteligência Infinita tomada do suprimento do Universo pelo cérebro. Até agora nenhum pensamento contrário a essa crença foi comprovado.

2. A aplicação da autodisciplina pode influenciar, controlar e dirigir o pensamento para um fim desejado mediante o desenvolvimento de hábitos voluntários adequados à realização de qualquer que seja o objetivo.

3. O poder do pensamento (com ajuda da mente subconsciente) tem controle sobre todas as células do corpo, realiza todos os reparos e substituições de células danificadas ou mortas, estimula seu crescimento, influencia a ação de todos os órgãos do corpo, ajuda em seu funcionamento por hábito e organização e auxilia no combate a doenças por meio do que é comumente chamado de "resistência física". Essas funções são executadas

de forma automática, mas muitas delas podem ser estimuladas de modo voluntário.

4. TODAS AS REALIZAÇÕES HUMANAS começam na forma de pensamento organizado em planos, metas e propósitos e expresso em ação. Toda ação é inspirada por um ou mais dos nove motivos básicos.

5. O PODER DA MENTE opera por intermédio das seções consciente e subconsciente. A mente consciente é controlada pelo indivíduo, a subconsciente é controlada pela Inteligência Infinita e serve como meio de comunicação entre a Inteligência Infinita e a mente consciente. O "sexto sentido" é controlado pelo subconsciente e funciona de modo automático de acordo com certos fundamentos fixos, mas pode ser influenciado a executar as instruções da mente consciente.

6. O CONSCIENTE E O SUBCONSCIENTE funcionam em resposta a hábitos fixados, ajustando-se a quaisquer hábitos de pensamento que se estabeleçam, sejam voluntários, sejam involuntários.

7. A MAIORIA DOS PENSAMENTOS é imprecisa porque se inspira em opiniões pessoais às quais se chega sem o exame dos fatos, ou por causa de preconceito, inclinação, medo e como resultado de excitação emocional em que a faculdade da razão tem pouca ou nenhuma oportunidade de modificar racionalmente.

8. O PRIMEIRO PASSO EM PENSAMENTO PRECISO (dado apenas por quem exercita autodisciplina de forma adequada) é separar fatos de ficção e rumores. O segundo passo é separar fatos (depois de identificados como tal) em duas classes – importantes e sem importância. Um fato importante é aquele que pode ser usado para ajudar na realização do objetivo principal

ou de qualquer objetivo menor que conduza ao principal. Todos os outros fatos são de menor importância. A pessoa mediana passa a vida lidando com inferências baseadas em fontes de informação não confiáveis e fatos sem importância. Portanto, raramente vislumbra a autodisciplina que exige fatos e distingue fatos importantes e sem importância.

9. Desejo baseado em motivo definido é o começo de todo pensamento e ação voluntários associados à realização individual. A presença de qualquer desejo intenso na mente tende a estimular a imaginação a criar meios de alcançar o objeto desejado. Se o desejo é mantido na mente de modo contínuo (pela repetição do pensamento), é absorvido pelo subconsciente e automaticamente levado à conclusão lógica. Esses são alguns dos mais importantes fatos conhecidos relacionados ao maior de todos os mistérios – o mistério do pensamento humano – e indicam claramente que o pensamento preciso é possível apenas mediante os mais severos hábitos de autodisciplina. "Onde e como se pode começar o desenvolvimento da autodisciplina?", alguém pode perguntar. Pode muito bem começar pela concentração em um objetivo principal definido. Nada grandioso jamais foi alcançado sem poder de concentração.

Como a autodisciplina pode ser aplicada

O gráfico 1 representa os dez fatores pelos quais o poder do pensamento se expressa. Seis desses fatores são submetidos ao controle por meio de autodisciplina:

1. A faculdade da vontade;
2. A faculdade das emoções;
3. A faculdade da razão;
4. A faculdade da imaginação;

5. A faculdade da consciência;
6. A faculdade da memória.

Os quatro fatores restantes operam de forma independente e não estão submetidos a controle voluntário; contudo, os cinco sentidos físicos podem ser influenciados e dirigidos pela formação de hábitos voluntários.

O gráfico 2 representa os seis departamentos da mente sobre os quais a autodisciplina pode ser mantida com facilidade.

OS DEZ FATORES DO MECANISMO DO PENSAMENTO

Observe que o subconsciente tem acesso a todos os departamentos da mente, mas não está sob controle de nenhum.

INTELIGÊNCIA INFINITA

A fonte de todo o poder do pensamento, de todos os fatos e todo o conhecimento, disponível apenas por meio do subconsciente.

MENTE SUBCONSCIENTE

O elo entre a mente do homem e a Inteligência Infinita.

Abaixo são mostrados todos os departamentos da mente, com as três fontes de estímulos de pensamento no fim do gráfico.

FACULDADE DA FORÇA DE VONTADE

"Chefe da mente"

FACULDADE DA RAZÃO

Mestre de todas as opiniões e julgamentos

FACULDADE DAS EMOÇÕES*

Assento da maioria das ações da mente

FACULDADE DA IMAGINAÇÃO*

Construtora de todos os planos

FACULDADE DA CONSCIÊNCIA

Guia moral da mente

As três fontes de pensamento que requerem maior autodisciplina

TELEPATIA

Sexto sentido ou estação transmissora do cérebro, faz a conexão com outros cérebros.

CINCO SENTIDOS*

1. Visão
2. Audição
3. Paladar
4. Olfato
5. Tato

Tornam-se confiáveis apenas por meio de estrita autodisciplina.

MEMÓRIA*

Depósito de todos os pensamentos e impressões dos sentidos. Arquivo do cérebro.

* Nem sempre confiáveis. Devem ser mantidos sob severa autodisciplina o tempo todo.

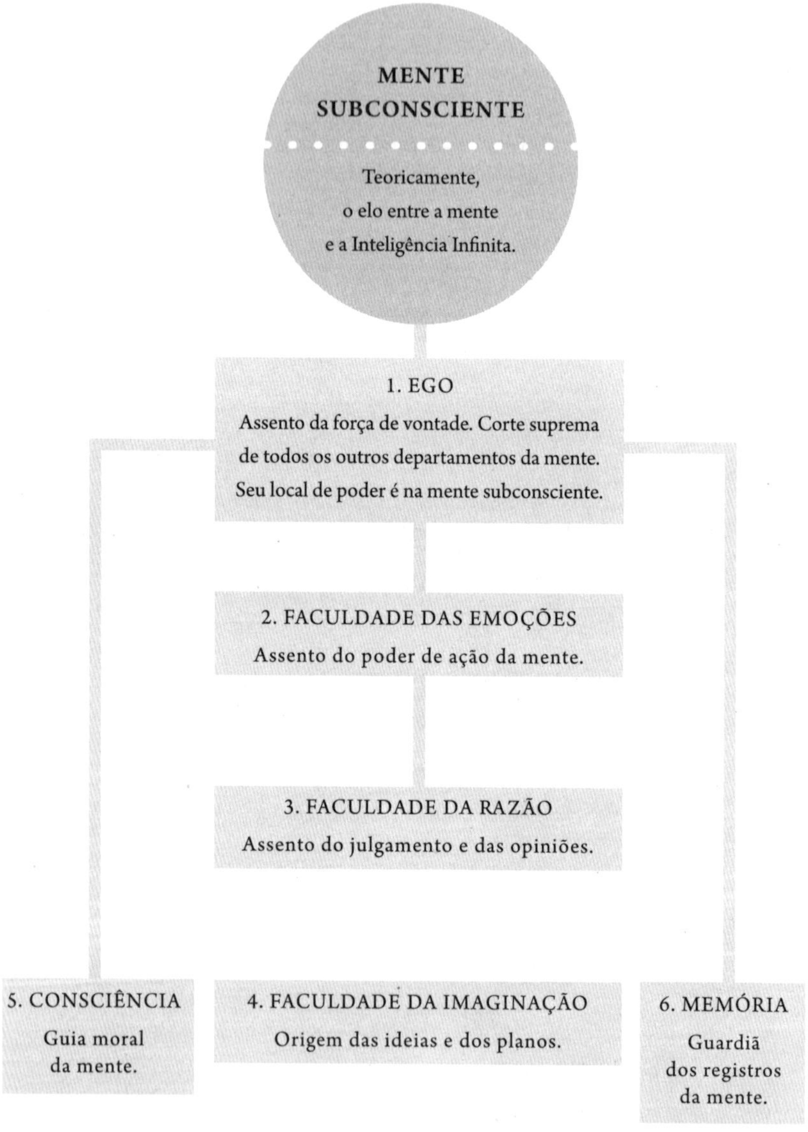

Os seis departamentos da mente, sobre os quais a autodisciplina pode ser mantida, estão numerados em ordem de importância relativa.

Os departamentos da mente foram numerados em ordem de importância relativa, embora seja impossível dizer categoricamente qual o mais importante, pois todos são essenciais na expressão de pensamento. Não tivemos escolha senão colocar o ego, assento da força de vontade, na primeira posição, porque a força de vontade pode controlar todos os demais departamentos e adequadamente é chamada de suprema corte da mente; suas decisões são finais e não podem ser submetidas à apreciação de nenhuma corte. A faculdade das emoções fica com a segunda posição, já que é bem sabido que a maioria das pessoas é governada por suas emoções; portanto, fica próxima da suprema corte.

A faculdade da razão ocupa o terceiro lugar em importância porque é a influência modificadora pela qual a ação emocional pode ser preparada para uso seguro. A mente equilibrada é aquela com as faculdades da emoção da razão em acordo. Esse acordo normalmente é efetuado pelo poder da suprema corte, a vontade. A faculdade da vontade às vezes decide com as emoções; em outras ocasiões, deposita sua influência do lado da faculdade da razão, mas sempre tem a última palavra, e, seja qual for o lado que apoie, esse é o vencedor de todas as controvérsias entre razão e emoções. Que sistema engenhoso é esse!

A faculdade da imaginação ficou em quarto lugar pois é o departamento que cria ideias, planos e meios de alcançar os objetivos desejados, todos inspirados pela faculdade das emoções ou da vontade. Podemos dizer que a imaginação serve a mente como um comitê de meios, mas costuma agir por conta própria e partir em turnês de exploração fantástica por lugares sem relação com a faculdade da vontade. Nessas turnês por conta própria, a imaginação geralmente tem pleno consentimento, cooperação e incentivo das emoções, principal motivo para que todos os desejos originados das emoções tenham de ser analisados de perto pela razão e revogados, se necessário, pela vontade.

Quando emoções e imaginação escapam da supervisão da razão e do controle da vontade, parecem duas colegiais inconsequentes que decidem matar aula e acabam na beira do rio ou na plantação de melancias do vizinho. Não tem travessura em que essas duas não possam se meter. Portanto, precisam de mais autodisciplina do que todas as outras faculdades mentais juntas. Vamos lembrar disso.

Os outros dois departamentos, consciência e memória, são auxiliares necessários da mente; embora importantes, foram designados para o fim da lista.

A seção subconsciente foi posicionada acima dos outros seis departamentos da mente porque é o elo entre mente consciente e Inteligência Infinita e o meio pelo qual todos os departamentos da mente recebem o poder do pensamento. O subconsciente não está sujeito a controle, mas está sujeito à influência pelos meios aqui descritos. Age pela própria vontade, embora sua ação possa ser acelerada pela intensificação das emoções ou pela aplicação de força de vontade altamente concentrada. Um desejo ardente por trás de um objetivo principal definido pode estimular a ação da seção subconsciente da mente e acelerar suas operações.

O relacionamento entre o subconsciente e os outros seis departamentos, indicado no gráfico 2, é semelhante em muitos aspectos ao do fazendeiro e as leis da natureza que regem o crescimento da plantação. O fazendeiro tem determinadas tarefas fixas a cumprir, como preparar o solo, plantar as sementes na estação certa e manter os canteiros livres de ervas daninhas; depois disso seu trabalho está encerrado. Dali em diante, a natureza assume o comando, germina as sementes, amadurece-as e produz uma safra.

A mente consciente pode ser comparada ao fazendeiro, preparando o caminho para a formulação de planos e objetivos sob a direção da vontade. Se o trabalho é feito de modo adequado e uma imagem clara do objeto de desejo é criada (sendo a imagem a semente do objetivo desejado), o subconsciente toma a imagem, atrai o poder da Inteligência Infinita para dispor do necessário para a tradução da imagem, obtém a informação e a apresenta à mente subconsciente na forma de um plano prático.

Diferentemente das leis da natureza que germinam a semente e produzem uma safra para o fazendeiro dentro de um tempo definido, predeterminado, o subconsciente pega a semente de ideias e objetivos submetida a ele e determina o próprio tempo para entregar um plano para sua realização. Força de vontade expressa como um desejo ardente é o único meio de acelerar a ação do subconsciente. Assim, assumindo plena posse da própria mente mediante a força de vontade, o indivíduo detém um poder de proporções estupendas.

O ato de dominar a força de vontade a fim de que seja direcionada para a realização de qualquer fim desejado é autodisciplina da mais alta ordem. O controle da vontade requer persistência, fé e definição de objetivo.

É fato conhecido por todos os mestres em vendas que nesse campo de atividade o profissional persistente encabeça a lista da produção em vendas. Em algumas áreas, como a de seguro de vida, persistência é o bem mais importante para o vendedor. E persistência, em vendas ou em qualquer outra vocação, é uma questão de estrita autodisciplina.

No campo da publicidade, valem as mesmas regras. Os publicitários mais bem-sucedidos atuam com inabalável persistência, repetindo seus esforços mês após mês, ano após ano, com regularidade inatacável; especialistas da publicidade têm evidências convincentes de que essa é a única política que pode produzir resultados satisfatórios.

Os pioneiros que se assentaram na América quando o país era apenas uma vastidão natural de homens primitivos e animais selvagens demonstraram o que pode ser realizado quando a força de vontade é aplicada com persistência. Em um período posterior da história de nosso país, depois que os pioneiros estabeleceram um esboço de sociedade civilizada, George Washington e seu pequeno exército de soldados subnutridos, maltrapilhos e mal equipados provou mais uma vez que força de vontade aplicada com persistência é imbatível.

Os pioneiros da indústria americana nos deram outra demonstração dos benefícios da força de vontade amparada pela persistência. Homens que deram grandes contribuições ao estilo de vida americano foram homens de autodisciplina e a conquistaram pela força de vontade amparada por persistência.

A trajetória de Andrew Carnegie é um excelente exemplo dos benefícios disponíveis mediante autodisciplina. Ele chegou à América quando menino e começou a trabalhar. Tinha poucos amigos, nenhum deles rico ou influente. Mas tinha uma enorme capacidade de expressar sua força de vontade. Trabalhador braçal durante o dia e estudante à noite, aprendeu a manejar um telégrafo e enfim progrediu para a função de operador privado do superintendente de divisão da Pennsylvania Railroad Company.

Nessa posição, Carnegie aplicou alguns princípios desta filosofia, entre os quais a autodisciplina, de maneira tão eficiente que atraiu a atenção de homens com dinheiro e influência que poderiam ajudá-lo a realizar seu objetivo principal definido. Nesse ponto da carreira, ele tinha exatamente as mesmas vantagens que outras centenas de operadores de telégrafo, nada mais. Mas tinha um bem que os outros aparentemente não tinham: vontade de vencer e uma ideia definida do que queria, junto com a persistência para insistir até conseguir. Isso também era consequência da autodisciplina.

As qualidades proeminentes de Carnegie eram força de vontade e persistência, mais uma severa autodisciplina pela qual essas características eram controladas e dirigidas para a realização de um objetivo definido. Afora isso, ele não tinha qualidades relevantes que não existam em outros homens de inteligência mediana. De sua força de vontade devidamente autodisciplinada e direcionada para a realização de um objetivo definido, nasceu a grande United States Steel Corporation, que revolucionou a indústria do aço e empregou um enorme exército de trabalhadores especializados e braçais.

Assim, vemos que um homem bem-sucedido começa pela aplicação da autodisciplina em busca de um objetivo definido e insiste até conseguir alcançar o objetivo com a ajuda desse princípio. Autodisciplina é um traço de caráter adquirido. Não é algo que se pode tomar da vida de outras pessoas nem ser aprendido nas páginas de um livro. É um bem que deve vir de dentro pelo exercício da força de vontade. Essas qualidades adquiridas são tão eficientes em outras formas de aplicação quanto na conquista da liderança na indústria.

Quando Andrew Carnegie disse que "força de vontade é um poder irresistível que não reconhece o fracasso", sem dúvida quis dizer irresistível quando apropriadamente organizada e dirigida para um fim definido em um espírito de fé. Obviamente, ele pretendeu enfatizar três importantes princípios desta filosofia como a base da autodisciplina adquirida: definição de objetivo, fé aplicada e autodisciplina.

É preciso lembrar, porém, que o estado mental que pode ser desenvolvido por esses três princípios pode ser alcançado com mais facilidade e maior rapidez pela aplicação de outros princípios desta filosofia, entre eles, MasterMind, personalidade agradável, hábito de fazer um esforço extra, iniciativa pessoal e visão criativa. Combine esses cinco princípios com definição de objetivo, fé aplicada e autodisciplina e você terá uma fonte de poder pessoal de proporções estupendas.

O iniciante no estudo desta filosofia pode achar difícil obter controle sobre sua força de vontade sem uma abordagem passo a passo, dominando e aplicando os oito princípios citados acima. O domínio só pode ser alcançado de uma maneira – aplicação constante e persistente desses princípios. Eles devem entremear os hábitos diários do indivíduo, ser aplicados em todos os relacionamentos humanos e na solução de todos os problemas pessoais.

A força de vontade responde apenas a motivo perseguido com persistência. E se torna forte do mesmo jeito que um braço pode ser fortalecido pelo uso sistemático. Homens com força de vontade adquirida pela autodisciplina não perdem a esperança nem desistem diante de dificuldades. Isso é coisa de homens sem força de vontade.

Um humilde general se postou para a revista diante de um exército de soldados cansados e desanimados que acabara de sofrer uma dura derrota na Guerra Civil. Ele também tinha motivos para estar desanimado, pois a guerra não transcorria a seu favor. Quando um de seus oficiais sugeriu que o panorama era desanimador, o general Grant ergueu a cabeça cansada, fechou os olhos, cerrou os punhos e exclamou: "Vamos lutar ao longo dessas linhas mesmo que leve o verão todo!". E lutou pelas linhas que havia escolhido. Então, bem pode ser que dessa decisão firme de um homem, apoiada por uma vontade indomável, tenha saído a vitória final que preservou a união dos estados.

Uma escola de pensamento diz que "o certo faz poder". Outra escola de pensamento diz que "o poder faz o certo". Mas homens que pensam com precisão sabem que a força de vontade gera poder, seja certo ou errado, e toda a história da humanidade corrobora essa crença.

Estude homens de grandes realizações onde puder encontrá-los e você vai encontrar evidências de que a força de vontade organizada e aplicada com persistência é o fator dominante do sucesso. Vai descobrir também que homens bem-sucedidos se comprometem com um sistema mais severo de autodisciplina do que qualquer outro sistema a eles imposto por circunstâncias além de seu controle. Eles trabalham enquanto outros dormem. Fazem um esforço extra e, se houver necessidade, repetem esse esforço sem parar até terem prestado o melhor serviço de que são capazes.

Siga os passos desses homens por um dia e você vai se convencer de que eles não precisam de supervisão para cumprir suas tarefas. Agem por iniciativa pessoal porque dirigem seus esforços pelo tipo mais severo de autodisciplina. Podem apreciar o reconhecimento, mas não precisam disso como inspiração para agir. Ouvem as críticas, mas não as temem nem são desestimulados por elas.

Esses homens às vezes falham ou sofrem derrota temporária, como outras pessoas, mas o fracasso só os estimula a fazer um esforço maior. Encontram obstáculos, como todo mundo, mas os convertem em benefícios pelos quais seguem adiante em direção ao objetivo escolhido. Experimentam desânimo, como outras pessoas, mas fecham a porta da mente para experiências desagradáveis e transformam decepções em energia renovada, com a qual lutam pela vitória. Quando a morte assola a família, enterram seus mortos, mas não sua vontade indomável.

Buscam o conselho de terceiros, extraem o que puderem usar e rejeitam o restante, embora o mundo todo possa criticá-los por conta de seu julgamento. Sabem que não podem controlar todas as circunstâncias que afetam suas vidas, mas controlam o próprio estado mental e as reações mentais a todas as circunstâncias, mantendo a mente positiva o tempo todo. São testados pelas emoções negativas, como acontece com todas as pessoas, mas as controlam e fazem delas suas nobres servas.

Vamos manter em mente que pela autodisciplina se pode fazer duas coisas importantes, ambas essenciais à realização relevante. Primeiro, é possível controlar completamente as emoções negativas, transmutando-as em esforço construtivo e usando-as como inspiração para um empenho maior. Segundo, é possível estimular as emoções positivas e direcioná-las para a realização de qualquer fim desejado. Assim, controlando tanto as emoções positivas quanto as negativas, a faculdade da razão fica livre para agir, bem como a faculdade da imaginação.

O controle sobre as emoções é obtido gradualmente pelo desenvolvimento de hábitos de pensamentos que conduzam ao controle. Esses hábitos devem ser formados nas pequenas circunstâncias de vida insignificantes, porque é verdade, como disse Louis Brandeis, da Suprema Corte, que "o cérebro é como a mão; cresce com o uso".

Um a um, os seis departamentos da mente submetidos à autodisciplina podem ser completamente controlados, mas o começo deve ser por hábitos que dão controle sobre as emoções, pois é verdade que a maioria das pessoas é vítima de suas emoções descontroladas durante toda a vida. A maioria é serva, não mestra das próprias emoções, porque nunca estabelece hábitos de controle definidos e sistemáticos sobre elas.

Toda pessoa que decidiu controlar os seis departamentos da mente por meio de um sistema severo de autodisciplina deve adotar e seguir um plano definido para manter o propósito diante de si. Um estudante desta filosofia escreveu um credo com essa finalidade e seguiu-o com tanto afinco que logo se tornou inteiramente consciente da autodisciplina. O credo funcionou tão bem que é apresentado a seguir para o benefício de outros estudantes da filosofia.

O credo deve ser assinado e repetido em voz alta duas vezes por dia, uma de manhã, ao despertar, e outra à noite, na hora de deitar. Esse procedimento deu ao estudante o benefício do princípio da autossugestão, pelo qual o objetivo do credo foi transmitido com clareza ao subconsciente, onde foi absorvido e posto em ação de modo automático.

Credo para a autodisciplina

Força de vontade

Reconhecendo que a força de vontade é a corte suprema sobre todos os departamentos da mente, vou exercitá-la todos os dias, quando precisar do impulso para agir por qualquer objetivo, e criarei o hábito de pôr em prática minha força de vontade pelo menos uma vez por dia.

Emoções

Percebendo que minhas emoções são positivas e negativas, formarei hábitos diários que vão encorajar o desenvolvimento das emoções positivas e ajudar a transformar as emoções negativas em alguma forma de ação útil.

Razão

Reconhecendo que minhas emoções positivas e negativas podem ser perigosas se não forem controladas e guiadas para fins desejados, submeterei todos os meus desejos, objetivos e propósitos à faculdade da razão e serei guiado por ela ao expressá-los.

Imaginação

Reconhecendo a necessidade de ideias e planos sólidos para a realização de meus desejos, desenvolverei minha imaginação invocando-a todos os dias para me ajudar na formação desses planos.

Consciência

Reconhecendo que minhas emoções se desviam frequentemente para o excesso de entusiasmo e que minha faculdade da razão muitas vezes carece do calor e do sentimento necessários para me permitir combinar justiça e misericórdia em meus julgamentos, incentivarei minha consciência a guiar-me em relação ao certo e errado, sem jamais ignorar seu veredicto, seja qual for o custo de colocá-lo em prática.

Memória

Reconhecendo o valor de uma memória alerta, incentivarei a minha a se tornar alerta tomando o cuidado de gravar com clareza todos os pensamentos que quero lembrar e associando esses pensamentos a assuntos que possa trazer à mente com frequência.

MENTE SUBCONSCIENTE

Reconhecendo a influência de meu subconsciente sobre a força de vontade, tomarei o cuidado de dar a ele uma imagem clara e definida de meu objetivo de vida principal e de todos os objetivos menores que levem ao objetivo principal e manterei essa imagem constantemente exposta ao subconsciente por repetição diária.

Assinado..

A disciplina sobre a mente é obtida pouco a pouco pela formação de hábitos que podem ser controlados. Os hábitos começam na mente; portanto, uma repetição diária desse credo gera consciência do tipo específico de hábitos necessários para desenvolver e controlar os seis departamentos da mente.

O simples ato de repetir o nome dos departamentos tem um efeito importante. Desperta a consciência de que os departamentos existem, são importantes, podem ser controlados pela formação de hábitos de pensamento e de que a natureza desses hábitos determina o sucesso ou fracasso da autodisciplina.

É um grande dia na vida de qualquer pessoa quando ela reconhece que seu sucesso ou fracasso é em grande parte uma questão de controle sobre as próprias emoções. Antes que se possa reconhecer essa verdade, é preciso reconhecer a existência e a natureza dessas emoções e o poder disponível para quem as controla – uma forma de reconhecimento de que muita gente nunca desfruta durante toda a vida.

Existe uma aliança chamada Alcoólicos Anônimos, cujos membros estão espalhados por todo o país. Essas pessoas operam em grupos de MasterMind em quase todas as cidades da nação. Elas estão se libertando de todos os males do alcoolismo em uma escala nada menos que milagrosa. Elas operam inteiramente pela autodisciplina. O medicamento que usam é o mais conhecido pela humanidade. É o poder da mente humana direcionado para um propósito definido, no caso, o fim do alcoolismo.

Essa realização deve inspirar todos os indivíduos a conhecer melhor o poder da própria mente. Se a mente pode curar o alcoolismo – e está curando –, pode curar pobreza, doença, medo e limitações autoimpostas.

Os Alcoólicos Anônimos obtêm resultados porque seus membros são apresentados ao "outro eu", a entidade invisível que é o poder do pensamento, as forças dentro da mente humana que não reconhecem o impossível. Essa organização vai viver e crescer, como deve ser com todas as forças do bem. Com o tempo, a organização vai estender seu serviço para a eliminação não só dos males do alcoolismo, mas também de todos os outros males, como medo, pobreza, doença, ódio e egoísmo. Por fim os Alcoólicos Anônimos sem dúvida vão adotar os dezessete princípios desta filosofia e proporcionar seus benefícios a todos os membros da organização, como alguns de seus membros já fizeram com efeitos impressionantes.

É fato conhecido que um inimigo reconhecido é um inimigo semiderrotado. Isso se aplica aos inimigos que operam dentro da mente, bem como aos que agem fora dela; aplica-se em especial a inimigos como as emoções negativas. Depois de reconhecer essas inimigas, o indivíduo começa quase inconscientemente a estabelecer hábitos, por meio da autodisciplina, com os quais contra-atacar.

O mesmo argumento se aplica aos benefícios das emoções positivas, porque é verdade que um benefício reconhecido é um benefício facilmente utilizado. As emoções positivas são benéficas porque fazem parte de uma força diretriz da mente, mas são úteis apenas quando organizadas e dirigidas para a realização de fins definidos, construtivos. Quando não controladas, podem ser tão perigosas quanto quaisquer emoções negativas. O meio de controle é a autodisciplina, aplicada sistemática e voluntariamente pelos hábitos de pensamento.

Pegue a fé, por exemplo. Essa emoção, a mais poderosa de todas, pode ser útil quando expressa por ação construtiva organizada com base em definição de objetivo. Fé sem ação é inútil, porque pode se resumir a mero devaneio, desejo e esperança frágil. Autodisciplina é o meio pelo qual se pode estimular a emoção da fé mediante definição de objetivo aplicada com persistência. A disciplina deve começar pelo estabelecimento de hábitos que estimulem o uso da força de vontade, porque é do ego – o assento da força de vontade – que se originam os desejos. Assim, as emoções de desejo e fé se relacionam.

Sempre que existe um desejo ardente, existe também a capacidade para a fé que corresponde exatamente à intensidade do desejo. Os dois sempre estão associados. Estimule um e você vai estimular o outro. Controle e direcione um por meio de hábitos organizados e você vai controlar e direcionar o outro. Isso é autodisciplina da mais alta ordem.

Benjamin Disraeli, considerado por muitos o maior primeiro-ministro que a Inglaterra já teve, alcançou essa elevada posição pela força de vontade direcionada por definição de objetivo Ele começou a carreira como autor, mas não teve muito sucesso. Publicou uma dezena de livros ou mais, mas nenhum deixou grande impressão no público. Ao falhar nessa área, Disraeli aceitou sua derrota como um desafio para um esforço maior em algum outro campo, só isso.

Então ingressou na política, com a mente firmemente voltada para o cargo de primeiro-ministro do abrangente império britânico. Em 1837 tornou-se membro do Parlamento por Maidstone, mas o primeiro discurso foi considerado por todos um tremendo fracasso. Mais uma vez Disraeli aceitou a derrota como um desafio para tentar de novo. Lutando em frente, sem nunca pensar em desistir, tornou-se líder da Casa dos Comuns em 1858 e mais tarde ministro das Finanças.

Em 1868 realizou seu objetivo principal definido, tornando-se primeiro-ministro. Deparou com tremenda oposição (seu "tempo de provação" havia chegado), que resultou em sua demissão; longe de aceitar a derrota temporária como fracasso, protagonizou um retorno e foi eleito primeiro-ministro pela segunda vez; depois disso tornou-se um grande construtor de impérios e estendeu sua influência em muitas direções. Sua maior realização talvez tenha sido a aquisição do Canal de Suez, feito destinado a dar ao império britânico vantagens econômicas sem precedentes.

A palavra-chave de toda a carreira de Disraeli foi autodisciplina. Ao resumir suas realizações em uma frase breve, ele disse: "O segredo do sucesso é constância de objetivo". Quando a jornada ficava difícil, Disraeli acionava sua força de vontade ao máximo. Ela o amparou nas emergências da derrota temporária e o levou à vitória.

Aqui temos o maior ponto de perigo para a maioria dos homens. Eles desistem quando as dificuldades surgem; muitas vezes desistem quando só mais um passo os teria levado à vitória triunfante.

A força de vontade é mais necessária em posições da vida mais elevadas. E a autodisciplina a proporciona em todas as emergências, sejam grandes, sejam pequenas.

Theodore Roosevelt foi outro exemplo do que pode acontecer quando um homem é motivado pela vontade de vencer, apesar de grandes obstáculos. Durante a juventude, ele sofria de asma crônica e problemas de visão. Os amigos não tinham esperança de vê-lo recuperar a saúde, mas Roosevelt não compartilhava dessa opinião porque reconhecia o poder da autodisciplina. Foi para o Oeste, juntou-se a um grupo de trabalhadores braçais e se colocou em um sistema de rígida autodisciplina, pelo qual construiu um corpo forte e uma mente resoluta. Alguns médicos disseram que ele não seria capaz disso, mas Roosevelt se recusou a aceitar o veredicto.

Em sua batalha para recobrar a saúde, adquiriu uma disciplina tão perfeita sobre si que voltou para o Leste, entrou na política e avançou até a vontade de vencer torná-lo presidente dos Estados Unidos. Os que o conheciam melhor diziam que sua qualidade mais proeminente era a força de vontade com a qual se recusava a aceitar a derrota como mais do que um impulso para se esforçar mais. Afora isso, sua capacidade, educação e experiência não eram superiores a qualidades semelhantes em outros homens à sua volta, gente de quem o público pouco ou nada ouviu falar.

Enquanto Roosevelt era presidente, alguns oficiais do Exército se queixaram de uma ordem para que se mantivessem em forma. Para mostrar que sabia o que estava dizendo, ele cavalgou mais de 150 quilômetros por estradas irregulares da Virgínia, com os oficiais do Exército atrás se esfalfando para acompanhar o ritmo. Por trás de toda essa ação física, havia uma mente ativa decidida a não ser prejudicada pela fraqueza física, e essa atividade mental se refletiu durante toda a sua administração na Casa Branca.

Uma expedição francesa havia tentado construir o Canal do Panamá sem sucesso. Theodore Roosevelt disse "O canal será construído" e começou a agir imediatamente para expressar sua fé em termos de ação. O canal foi construído.

Poder pessoal é embalado na vontade de vencer. Mas só pode ser liberado para a ação pela autodisciplina e por nenhum outro meio.

Robert Louis Stevenson era frágil desde o nascimento. A saúde o impediu de qualquer atividade estável nos estudos até passar dos 17 anos. Aos 23, sua situação era tão ruim que os médicos o mandaram sair da Inglaterra. Então Stevenson conheceu uma mulher por quem se apaixonou. O amor por ela era tão grande que ele ganhou vida nova, um novo motivo para agir, e começou a escrever, embora o corpo mal tivesse forças para carregá-lo pelo mundo. Continuou escrevendo até enriquecer o mundo com seus escritos, agora aceitos universalmente como obras-primas.

O mesmo motivo, amor, deu asas aos pensamentos de muitos outros que, como Robert Louis Stevenson, fizeram deste um mundo mais rico e melhor. Sem o motivo do amor, Stevenson por certo teria morrido sem ter feito suas contribuições à humanidade. Ele transmutou o amor pela mulher escolhida em obras literárias por meio de hábitos de autodisciplina que controlaram os seis departamentos de sua mente.

De maneira semelhante, Charles Dickens converteu uma tragédia amorosa em obras literárias que enriqueceram o mundo. Em vez de sucumbir ao golpe da decepção de seu primeiro amor, Dickens afogou a mágoa na intensa ação de escrever. Dessa maneira, fechou a porta para uma experiência que muitos outros poderiam ter usado como desculpa para fugir de seu dever – um álibi para o fracasso. Com autodisciplina, Dickens converteu seu maior sofrimento em seu maior bem, que lhe revelou a presença do "outro eu", dentro do qual estava o poder do gênio refletido em suas obras literárias.

Há uma regra imbatível para superar mágoas e decepções – a transmutação das frustrações emocionais por meio de trabalho planejado. Essa é uma regra inigualável. O segredo de seu poder é a autodisciplina.

Liberdade de corpo e mente, independência e segurança econômica são resultados de iniciativa pessoal expressa por autodisciplina. De nenhuma outra maneira esses desejos universais podem ser garantidos.

Você deve percorrer o resto da distância sozinho. Se seguiu as instruções que dei com o tipo certo de atitude mental, você agora está de posse da grande chave mestra.

Agora vou revelar uma grande verdade da máxima importância: a chave mestra das riquezas consiste inteiramente no maior poder conhecido pelo homem – o poder do pensamento. Você pode ter plena posse da chave mestra tomando posse da própria mente por meio da mais severa autodisciplina. Com autodisciplina você pode pensar como entrar ou sair de qualquer circunstância da vida.

A autodisciplina ajuda a controlar a atitude mental. Sua atitude mental pode ajudá-lo a superar toda circunstância de vida e transformar toda adversidade, toda derrota e todo fracasso em um bem de escopo equivalente. Por isso a atitude mental positiva encabeça a lista das doze riquezas da vida.

Assim, deve estar claro para você que a grande chave mestra das riquezas não é nada mais, nada menos que a autodisciplina necessária para ajudá-lo a tomar total e completa posse de sua mente. Comece exatamente onde está e torne-se o mestre de si mesmo. Comece agora. Livre-se de uma vez por todas do velho eu que o manteve em miséria e carência. Reconheça e aceite o "outro eu" que pode dar tudo que seu coração anseia.

Lembre-se de que é profundamente significativo que a única coisa sobre a qual você tem completo controle é sua atitude mental. Pois essa é a chave mestra das riquezas!